P9-BYX-185

Muy chic

Muy chic

Genevieve Antoine Dariaux

Traducción de
Marta Pazos

Lumen

ensayo

Título original: *A Guide to Elegance*

Primera edición: noviembre de 2005
Segunda edición: marzo de 2006

Publicado originalmente en Estados Unidos por Doubleday and Co., 1964. Esta edición fue publicada por primera vez en inglés por Harper-Collins Publishers, Ltd., en 2003 con el título *A Guide to Elegance* © Genevieve Antoine Dariaux.

Printed in Spain – Impreso en España

ISBN: 84-264-1543-1
Depósito legal: B. 12.892-2006

Compuesto en Fotocomposición 2000, S. A.

Impreso en Limpergraf
Mogoda, 29. Barberà del Vallès (Barcelona)

Encuadernado en Imbedding, S. L.

H 4 1 5 4 3 1

Muy chic

Una guía de la elegancia

Prólogo

¿Qué es la elegancia?

Es una especie de armonía que se parece a la belleza, con la diferencia de que esta última suele ser un don de la naturaleza y la primera el resultado de un arte.

El origen de la elegancia es fácil de definir. Surge y se desarrolla a partir de los usos y costumbres de una cultura civilizada. La palabra viene del latín *eligere*, que significa «seleccionar».

Mi objetivo en este libro no es abordar los distintos tipos de elegancia, que son numerosos —pues puede darse en el vestir, el lenguaje, la decoración y en todos los demás aspectos del arte de vivir—, sino solo la elegancia en el embellecimiento personal y su relación con la moda. Por supuesto, una mujer realmente elegante debe serlo en todos los sentidos. Emplear un tono de verdulera o unos andares patosos pueden deslucir por completo el vestido más exclusivo. Sin embargo, el conjunto de todos los aspectos es demasiado vasto para tratarlo en un solo volumen, y además, superan mi propia especialidad, que es la moda.

Desde mi más tierna infancia, una de mis principales preocupaciones ha sido ir bien vestida, algo que me inculcó mi madre, también aficionada a la moda. Cuando salía del colegio, siempre prefería acompañarla a la modista en lugar de ir al cine y extasiarme viendo una película de Rodolfo Valentino. Me encantaba hacer punto; de hecho, tejía unos jerséis complicadísimos que diseñaba yo misma para que nadie pudiera aparecer en clase con uno parecido al mío. Siempre he detestado los uniformes.

Un día (por aquel entonces ya estaba casada con un hombre que siempre ha mostrado un gran interés por la ropa que llevo y tenía una hija a la que me encantaba vestir) empecé a divertirme ensartando juntos mis collares de bisutería; un amigo me aconsejó que se los enseñara a Lucien Lelong, que en aquel momento era uno de los mejores modistos de París. Pero tras la emoción de mi primera venta me dí de bruces con los asuntos prácticos que comporta llevar un negocio...

No tardé en conseguir el título profesional de *parurière* (diseñadora de bisutería) de *haute couture*, lo que significaba que la mitad de mi producción anual iba destinada a la alta costura (término que designaba a los diseñadores importantes de París que vendían ropa original hecha a medida en sus salones); también me hice diseñadora de una pequeña empresa de punto de media. Al principio era un negocio modesto. Yo diseñaba las joyas, seleccionaba y compraba la materia prima, y luego las vendía y hasta me ocupaba de distribuirlas yo misma entre las casas de moda.

Un día me pidieron que confeccionara un conjunto de

playa para una boutique, y así fue como entré en el mundo de la costura, y gradualmente fui abandonando las joyas y el punto.

Mi propia casa de modas, Genevieve d'Ariaux, iba bien por aquella época. Tenía una clientela de mujeres modernas a quienes les encantaba la ropa que yo hacía, pero que no podían pagar los precios de mis modelos exclusivos. Fanática de la calidad, me negaba a entregar una pieza hasta que no estuviera totalmente satisfecha con el resultado, de modo que los costes eran astronómicos. Así, cuando Robert Ricci, hijo de Nina y presidente de la firma, me propuso que trabajara como directora de los salones, acepté. Siempre estaré agradecida al señor Ricci por haberme permitido continuar satisfaciendo mi pasión por la moda, liberada de la carga de las obligaciones financieras.

He dedicado mi vida a aconsejar a nuestras clientas y a ayudarlas a elegir, y esto es lo más gratificante. Algunas de ellas eran muy hermosas y en realidad no necesitaban mi ayuda, pues sabían bien lo que querían. Yo disfrutaba admirándolas como puede admirarse una obra de arte, pero no eran esas las clientas que prefería, porque en poco podía ayudarlas. Las que más apreciaba eran aquellas que no tenían ni tiempo ni la experiencia necesarios para alcanzar el éxito en el arte del buen vestir, pero que deseaban ser elegantes y aceptaban el consejo de una especialista. Ahí sí utilizaba a fondo mi imaginación; elegía y combinaba todo el guardarropa de esas mujeres, incluidos los complementos, teniendo en cuenta la vida que llevaban y en qué círculos se movían.

Si se me permite utilizar una palabra altisonante para un arte tan menor, diría que transformar a una mujer normal en una mujer elegante era y sigue siendo mi misión en la vida.

Y ahora, ¿les gustaría jugar a Pigmalión? Si confían en mí, compartiré con ustedes algunas ideas prácticas sobre una de las mejores maneras de valorarse a sí mismas: la elegancia, su propia elegancia.

ABRIGOS

Los abrigos y las capas son mis prendas preferidas. Pueden estar hechos de cualquier material, a excepción de tejidos a los que les falta cuerpo. Amplios o estrechos, largos o cortos, hay un estilo de abrigo para cada figura.

Para mujeres altas y esbeltas: levitas, chaquetones, abrigos cruzados, gabanes, estilos tubulares, chaquetones tres cuartos, largos de media pantorrilla, hasta el tobillo y hasta los pies. Todo tipo de cuellos, incluidos los altos, redondos o sin cuello estilo cárdigan.

Para mujeres bajas o llenitas: modelos no cruzados, talle princesa, chaquetones amplios, en forma de trapecio que parten de hombros estrechos, capas. Adornos de piel lisa, escotes en la base del cuello, mangas tres cuartos (son más juveniles para todas las mujeres y alargan la silueta); no se aconseja un abrigo con cinturón.

Los abrigos más acertados son también los más sencillos; su elegancia estriba principalmente en la calidad del material, el color y el refinamiento de las líneas básicas. Los principales errores de los diseñadores que toda mujer elegante debería evitar escrupulosamente son: dobladillos y añadidos sin ningún propósito funcional, y sobre todo, falsas botonaduras.

Desde los cruzados de cachemir hasta las chaquetas de organza, hay un abrigo para cada ocasión y casi cada estación del año. El guardarropa básico de abrigos de una mujer bien vestida consiste en:

— un abrigo muy cálido de invierno con cuello, y si no lo tiene, una bufanda o estola a juego,

— un abrigo de lana algo más ligero para la primavera y el otoño, e incluso algunas noches frescas del verano; los colores más adecuados son gris, blanco o beige,

— una gabardina,

— un abrigo de seda de noche (más chic con un vestido de noche que un abrigo de pieles, en mi opinión, y mucho más elegante que una chaqueta de piel).

Los abrigos de colores vivos pueden llevarse a cualquier hora del día o de la noche. Pero los tonos suaves también favorecen en invierno, por ejemplo, un abrigo de lana de color rosa coral o azul claro combinado con accesorios marrones.

Un abrigo negro es una excelente inversión, pero para ser elegante, debe estar muy bien diseñado y bien confeccionado.

En cualquier caso, los abrigos de tonos vivos dan una nota de color al paisaje de la ciudad y proporcionan un rubor de satisfacción al rostro de una mujer cuando se refleja fugazmente en un escaparate.

Me gustaría que no tuviéramos que quitárnoslos nunca.

ACCESORIOS *(GADGETS)*

Me encantan los *gadgets* —¿y a quién no?— sobre todo en la cocina. Por lo que atañe a la elegancia esos ingeniosos y pequeños inventos pueden ser de gran utilidad en el armario, el costurero, el neceser de viaje, el maletín o bolsa de fin de semana; no hay que olvidar los distintos productos para limpiar las joyas, quitar manchas y facilitar el lavado de prendas y el planchado. No obstante, esos artilugios quedan fuera de lugar en un conjunto elegante. Eso significa que una mujer bien vestida jamás debería sucumbir ante novedades como los llamados «organizadores de bolso», que etiquetan los compartimentos de los objetos personales; los impermeables de plástico transparente, las botas de agua, los sombreros plegables y las fundas cubrebolsos, además de los incontables artilugios que continuamente salen al mercado… en detrimento de la elegancia. En 1964, el teléfono móvil aún no había nacido y en la actualidad, muchas veces desearíamos que hubiera muerto.

ADAPTABILIDAD

¿Cómo puede una mujer ir bien vestida a cualquier hora del día y en toda clase de ambientes con un solo conjunto? Este es uno de los problemas que nos plantea la vida moderna. Los grandes almacenes ofrecen su solución en forma de diversas combinaciones que anuncian en tono optimista como algo que puede llevarse «de mediodía a medianoche». Pero en general, sería más exacto decir que pueden llevarse desde las cinco de la tarde hasta la medianoche, porque suelen vestir demasiado para llevarlos por la mañana.

Un sencillo conjunto de lana oscura cuya chaqueta oculta un escote generoso sería el conjunto más adaptable en esa situación, siempre que al final del día podamos cambiar los complementos; por ejemplo, incluyendo un bolsito de noche en el bolso grande que usamos por la mañana, así como joyas más elegantes.

Los zapatos salón de charol o de piel fina quedan elegantes durante todo el día, si bien no puede decirse lo mismo de los zapatos de ante (que son adecuados para el día, pero no para la noche), o las sandalias de tira (que se reservan para ocasiones de etiqueta). Todos esos preparativos requieren cierta planificación, y el don de adaptar el propio aspecto a distintos ambientes, como un camaleón, no suele concederse a mujeres atolondradas.

ADOLESCENTES

Las chicas de entre trece y dieciocho años, que hasta hace poco eran completamente ignoradas por el mundo de la moda, se han convertido en uno de los grupos de consumo más importantes en los países occidentales. En lugar de tener que escoger entre el estilo infantil de la sección de niñas, que obviamente ya no les queda bien, y la ropa adulta de la sección de señoras, que se adapta menos a su edad y figura, ahora encuentran plantas enteras dedicadas a la moda adolescente en todos los grandes almacenes. Comerciantes, fabricantes y diseñadores actuales, son conscientes de la importancia de estas clientas en países con una población joven emergente y están más que dispuestos a satisfacer las tendencias y caprichos de su clientela juvenil.

Estilistas y comerciantes del sector de la moda estudian continuamente las tendencias del gusto adolescente; de hecho, las tiendas universitarias que en algunos países abren hacia el final de las vacaciones del verano suelen estar repletas de adolescentes. Esas tiendas están generosamente equipadas con todos los elementos favoritos del campus: faldas plisadas y jerséis gruesos, bermudas, calcetines largos estampados, mocasines y pantalones vaqueros, y también modas más pasajeras, como los tirantes, chaquetas de hombre, faldas y pantalones de cintura muy baja y gorras de béisbol. Al mismo tiempo, las revistas especializadas dirigidas a consumidores jóvenes, como *Seventeen*, *Glamour* y *Moe*, dan buenos consejos sobre moda y belleza para adolescentes: cómo cuidarse la piel, cómo peinarse o seleccionar conjuntos y complementos apropiados para los deportes, la ciudad y la noche.

El resultado de tales esfuerzos es que lo que antes se conocía como «la edad del pavo» se ha convertido en una de las épocas más encantadoras de la vida de una mujer. Ahora que finalmente tienen sus modas, las adolescentes de hoy están más satisfechas de vestir de acuerdo a su edad y menos tentadas de imitar estilos demasiado sofisticados.

Con todo, todavía quedan unas cuantas prohibiciones absolutas para las adolescentes, que no se respetan lo suficiente:

— pendientes antes de los diecisiete años,
— paraguas antes de los quince años,
— tacones muy altos antes de los dieciséis,
— medias de nailon (a excepción de los leotardos de colores vivos) antes de los catorce,
— el color negro (excepto el terciopelo) antes de los dieciocho,
— vestidos drapeados y escotes antes de los treinta,
— diamantes y toda clase de piedras preciosas antes de los treinta, o antes del compromiso de matrimonio.

ALMUERZOS

El conjunto más adecuado para un almuerzo es un traje de lana, seda mate o lino, según la estación del año, ya que es preferible vestir de manera demasiado informal que afectada en exceso. Por la misma razón, no se aconseja lucir las mejores joyas, aunque siempre queda bien llevar perlas o cuentas, un broche grande y anillos. El bolso puede ser grande, ¡y ese es el momento de mostrar el apreciado bolso de piel de cocodrilo! Los zapatos pueden ser de tacón medio, mejor que alto, porque es probable que luego se quieran hacer algunos recados por la tarde sin dar la impresión de ir vestida de domingo.

Después de todo, la hora del almuerzo es solo un alto en la jornada de trabajo y cada vez hay menos mujeres que llevan una vida de ocio. Por tanto, incluso en los restaurantes más famosos, caros y elegantes, la sencillez es la regla de oro a la hora del almuerzo.

AMIGAS

Según un dicho popular, nunca se debería ir a comprar ropa con una amiga. Como a menudo se trata también de una rival involuntaria, de manera inconsciente intentará disuadirla de que compre las prendas que mejor le sienten. Y aunque sea la amiga más leal del mundo, alguien que la aprecia y cuyo único deseo es que usted sea la más guapa, me mantengo firme en mi opinión: vaya de compras sola y acuda solo a los especialistas para orientarse. Aunque sean parte interesada, al menos no se implicarán emocionalmente.

Además, por muy bienintencionada que sea, su amiga no tendrá probablemente la misma figura, el mismo estilo de vida, la misma condición social, ni los mismos gustos que usted y, por tanto, verá las cosas de distinta manera; solo podrá verlas en relación con sus propios gustos, presupuesto y necesidades. Lo que usted puede elegir, ella lo imagina puesto en ella, considera que no le va bien —o que le quedaría mejor que a usted— y con sus comentarios, mina la poca autoestima que a usted le quede. Ya no está segura de que le guste el atuendo en cuestión, duda y decide no comprarlo. Y sin embargo, lo necesitaba.

Sé por experiencia que es imposible hacer una buena venta a dos mujeres que compran juntas, y siempre intento arreglarlo para que vuelvan por separado.

Me horrorizan sobre todo estas clases de amigas:

1. La que quiere ser como usted, se encapricha a primera vista del mismo vestido y se excusa diciendo: «Espero que no te importe, querida. De todas formas, no salimos tanto juntas y siempre nos podemos llamar antes para asegurarnos de que no nos vestimos igual, etcétera». Usted está furiosa, pero no se atreve a demostrarlo y al día siguiente devuelve el vestido.

2. O bien, segunda escena, mismo reparto: su amiga, generosa y de gran corazón (pero furiosa por dentro) dice: «Llévatelo, querida. De todas formas, te queda mejor que a mí...» o «Tú sales mucho más que yo...» (profundo suspiro).

En ese punto, lo mejor que puede hacer la dependienta es desaparecer, porque ninguna de esas dos mujeres comprará nada. A menos que usted tenga más autoridad, y no más escrúpulos en cuestión de amistad, y crea que en efecto le queda mejor que a ella. De modo que se compra el codiciado conjunto, vestido, traje o sombrero en cuestión y su desdichada amiga se lleva su decepción y su mal humor a otra tienda, donde intenta en vano encontrar exactamente lo mismo. Pero, compre lo que compre, nunca estará satisfecha porque ella solo quería lo que tiene usted y nada más.

3. La amiga con un presupuesto más modesto que el suyo, que no puede ni soñar con adquirir la ropa que usted se compra (pero la verdad es que no sueña con otra cosa). Tal vez crea que para ella es un placer ir a comprar con usted. Personalmente, yo lo llamaría crueldad mental y siempre me siento muy incómoda con ese papel de ser la sombra de otra persona que algunas mujeres reservan para su mejor amiga. Además, su presencia no le sirve de nada, porque esa clase de amiga siempre aprueba todo lo que elige y estará de acuerdo, incluso con mayor entusiasmo, si es algo poco favorecedor.

4. Finalmente, la amiga que vive para la ropa y a la que usted pide consejo. Tal vez se sentirá halagada de que usted la considere una experta en moda y de verdad intentará ayudarla en cuestión de ropa. Pero probablemente —de hecho, casi seguro— esta mujer tan mimada y segura de sí misma monopolizará la atención de las dependientas, que enseguida reconocen a una buena clienta. De modo que a usted la olvidarán todos, mientras intentan decidir qué le queda mejor, pero no a usted sino a su amiga. Si ya dudaba sobre su elección, ahora probablemente abandonará la idea de comprar lo que poco antes la había tentado.

Conclusión: vaya de compras sola, y no quede con su amiga hasta el día siguiente.

ANILLOS

Un anillo es la única joya con diamantes adecuada antes de la hora de comer. Como a menudo el de compromiso es el único anillo que poseen muchas mujeres, además de la alianza de brillantes, vale la pena elegirlos con mucho cuidado. A veces es aconsejable modificar el diseño original o incluso reemplazar las piedras o la montura por completo, a medida que el gusto y la economía personal mejoran y las modas cambian con los años.

Los diamantes se pueden montar en oro o platino, es igualmente elegante, y la alianza debería hacer juego con el anillo de compromiso. Un diamante puede tallarse de diversas formas. En general, la talla marquesa (en forma de barco), el corte esmeralda (cuadrado u oblongo, con aristas cuadradas) y pera (en forma de lágrima) son las más favorecedoras para dedos cortos, que parecen alargarse y hacerse más esbeltos. La belleza de la talla brillante (con muchas facetas, que requiere montura alta) y de las piedras cuadradas queda mejor en manos finas y alargadas. Pero también es verdad que el diseño y el engarce pueden crear a veces ilusiones ópticas al adaptar una piedra a un tipo de mano. Además, un solitario más bien pequeño siempre es más elegante cuando forma parte de una composición con otras gemas y brillantes, que cuando está solo.

La moda en anillos ha seguido la tendencia de toda la joyería; se lleva combinar dos o más tipos distintos de piedras preciosas, como zafiros, esmeraldas y diamantes; una perla negra y una blanca con brillantes; rubíes, zafiros y diamantes; o —lo más elegante y lujoso— brillantes amarillo canario con brillantes blancos.

Un anillo solitario de una piedra que no sea un diamante es una elección un tanto arriesgada. La verdad es que un enorme topacio o aguamarina nunca son demasiado elegantes, aunque los he visto llevar a mujeres distinguidas, y es cierto que el topacio es una de las piedras más bonitas que existen. Por otra parte, un gran zafiro estrellado es una joya de gran belleza y elegancia.

No es recomendable llevar más de un anillo en cada mano (y la alianza y el anillo de compromiso cuentan como uno). Además, enseguida se dará cuenta de que un anillo se ensucia mucho más rápidamente que cualquier otra pieza de joyería y que, por mucho que se frote con un cepillo de dientes, no se podrá reemplazar la limpieza y pulido anual de un joyero profesional (véase la sección «Joyas»).

APARICIONES EN PÚBLICO

El resplandor de los focos y los flashes de los fotógrafos ya no están reservados a las actrices y a los candidatos políticos. Incluso la mujer más discreta puede descubrir un día que sus actividades sociales o filantrópicas la llevan inesperadamente al centro de la escena.

Su elección de ropa depende sobre todo de la hora y el lugar del acontecimiento en cuestión. En general, hay que optar por un conjunto que esté bien diseñado, de línea sencilla, y acorde con la silueta, de un tejido más opaco que brillante, y que tenga cuerpo. Los crepés holgados no suelen ser particularmente aconsejables; y las telas vaporosas como el chifón quedan bonitas en movimiento, pero pierden gran parte de su encanto cuando hay que estar inmóvil, de pie. El negro no es una opción ideal y es mejor evitar por completo los estampados. Para actos diurnos, yo recomendaría tonos neutros, en una armonía sutil con los complementos; y para la tarde, el color vivo y claro que más le favorezca. Un escote a caja tiende a alargar y crea un marco favorecedor para el rostro.

Si va vestida de noche, debe llevar el pelo limpio y peinado de la forma más sencilla y lisa posible.

Si tiene que permanecer de pie mucho tiempo, es aconsejable considerar la comodidad tanto como la elegancia al elegir los zapatos. Y si tiene que hablar ante un micrófono, es preferible que deje en casa su pulsera tintineante, porque produciría efectos sonoros inesperados. Los conjuntos llamativos de joyas pueden ser adecuados tras los focos, pero no quedan bien en fotografía; si hay fotógrafos presentes, se recomienda llevar joyas discretas, especialmente perlas, que son a la vez elegantes y fotogénicas.

Las gafas son otro accesorio que reflejan los focos y pueden estropear una toma; intente dejar las gafas en el bolso, a no ser que no vea nada sin ellas.

Es buena idea probarse el vestido frente a un espejo de cuerpo entero; así estará segura de que no ha descuidado un solo detalle y podrá olvidarse de su atuendo y dedicar toda la atención a los demás, que es, al fin y al cabo, uno de los principios de la elegancia, tanto en público como en privado (véase la sección «Ocasiones»).

ARMARIO IDEAL

Para una mujer elegante

Invierno

9 h. Faldas de tweed con los colores del otoño y jerséis a juego (los británicos son incomparables en este sentido), un abrigo de buen corte. Zapatos marrones de medio tacón y un bolso de piel de cocodrilo marrón (una mujer elegante nunca lleva uno negro por la mañana) del tamaño adecuado.

13 h. Un traje de lana de color liso (ni marrón ni negro). Bajo la chaqueta, un jersey a juego, blusa, top o vestido sin mangas. Un conjunto que consista en un traje con capa a juego o pashmina también resulta práctico y cálido.

15 h. Un traje de lana de un tono favorecedor que haga juego o contraste con: un abrigo de calle de color vivo. (Si puede comprar una prenda de una tienda de calidad o de un diseñador renombrado, es un acierto regalarse un buen abrigo de lana de color intenso. Por suerte, es una de las prendas más fáciles de adquirir en rebajas.)

18 h. Un vestido de punto negro, no muy escotado. Es el gran logro de la alta costura y el uniforme de las mujeres de ciudad. Se puede llevar a todas partes, desde el bistrot al teatro, pasando por todas las fiestas y cenas informales de un calendario social.

19 h. Un vestido de crepé negro, bastante escotado, para cenas más formales y restaurantes más elegantes.

20 h. El vestido y abrigo a juego que en París llaman «conjunto de cóctel», pero que, en realidad, es demasiado de vestir para esas ocasiones. Resulta ideal para estrenos de teatro y cenas de etiqueta. Si es de seda, terciopelo o brocado de color, se debería contar con un segundo vestido que haga juego con el mismo abrigo, un poco más de vestir, para recibir en casa.

22 h. Un vestido largo de vestir, formal, que se pueda llevar todo el año (eso significa evitar el negro y el terciopelo). Y si se trata de una mujer realmente loca por la ropa y dispuesta a hacer los sacrificios necesarios...

Un vestido de noche largo, la prenda más lujosa de un guardarropa y, por extraño que parezca, una adquisición sensata si logra comprarlo de rebajas.

Primavera

9 h. Traje sastre a medida, tipo Chanel, de un tono suave y delicado, con blusa a juego.

13 h. Un traje de punto suave y ligero de un color liso, un poco más de vestir que el primero.

Un traje de lino si hace calor.

(Estos tres conjuntos pueden llevarse de un año a otro y solo necesitan renovarse cada tres años.)

Un abrigo de lana fresco que será también atractivo en otoño; por esta razón, hay que resistir la natural tentación primaveral de elegir el color azul marino. Personalmente, prefiero la franela gris, roja, verde, blanca o beige, que pueden llevarse todo el año. Falda a juego.

18 h. Un vestido o un conjunto de dos piezas de seda de color negro o azul marino para llevar solo, con un amplio sombrero de paja a los cócteles. Este conjunto también puede ser de seda estampada, pero es difícil encontrar un estampado bonito. Se elija uno u otro, el mismo conjunto es ideal para comer al aire libre.

20 h. Un conjunto para noches de estreno y cenas de etiqueta como los de invierno —puede ser el mismo—; un vestido bordado con pedrería, por ejemplo, puede llevarse todo el año, y un crepé negro quedará muy chic en primavera bajo un abrigo blanco.

Verano en la ciudad

Vestidos ligeros y frescos de algodón o lino para la mañana y de seda para la tarde o noche, todos ellos preferiblemente sin mangas y con una elegancia basada más en el color que en un corte complicado. Estos vestidos son el logro más destacado de la industria de la confección.

BODAS

Una futura novia nunca sueña con casarse con la ropa de todos los días, incluso en la ceremonia más informal. Si las circunstancias o sus medios no le permiten llevar el tradicional vestido de novia blanco, al menos quiere llevar algo nuevo para esa feliz ocasión. En tal caso, la mejor solución es comprarse un traje elegante y un bonito sombrero, que puede ser de cualquier estilo, excepto un tocado de flores o plumas blancas con un velo.

Nada me parece más patético que ver un sábado por la mañana a las puertas de una iglesia a una joven novia que solo ha podido permitirse la mitad del atuendo nupcial, cuando habría tenido mucho más encanto (y resultado también más asequible) elegir un conjunto urbano normal. Lo mismo puede decirse de las invitadas a la boda, que deberían evitar cursilerías y tonos pastel que no volverán a utilizar. No me atraen en absoluto los vestidos de novia blancos cortos e informales, y creo que si no se quiere o no se tienen los medios para comprar el atuendo completo, es preferible optar por algo distinto.

Un vestido de novia largo y formal es elegante únicamente si es muy sencillo, incluso un poco austero. Solo el tejido debería ser suntuoso: encaje grueso o satén mate muy grueso. Por supuesto, la temporada, la importancia de la boda y el estilo personal de la novia influirán en gran parte en la elección.

Las novias altas y delgadas acentuarán su belleza vistiéndose con un traje tubo de un material grueso con un *manteau de cour*, una especie de capa prendida en los hombros, que forma la cola; manga larga y una simple diadema en el pelo. Las novias bajitas y muy jóvenes deberían acentuar su encanto de muñecas con un vestido de tul, encaje, o bien organdí en verano, con una blusa amplia abullonada, sin cola, con manga corta, guantes blancos cortos y un tocado o adorno que aumente su estatura.

El velo puede ser un problema cuando las fotos de la boda se hacen en las escaleras de la iglesia tras la ceremonia, porque el efecto suele ser más bonito cuando cae por delante del rostro, pero ya no tanto cuando se ha echado para atrás y forma un halo muchas veces un tanto torcido. En general, no estoy a favor del velo de encaje heredado de la familia, que ha pasado de madres a hijas durante generaciones. Aunque valga una fortuna, no suele aportar nada a un vestido de boda moderno, y a veces rompe por completo su elegancia.

Cuidado con las pesadas colas que se pegan a la alfombra y hacen que la joven pareja parezca (¡qué imagen tan desafortunada!) un par de convictos arrastrando una bola y una cadena.

Para acompañar a esos vestidos de boda largos y formales, el novio debe llevar obligatoriamente chaqué, como también los demás hombres que asistan a la boda. Ya no se estila que las mujeres de la familia lleven vestidos largos. El conjunto más elegante en cualquier temporada es sin duda un abrigo de seda sobre un vestido a juego. Ni siquiera la bisabuela debería ir de negro en esa ocasión, sino con tonos más suaves como ciruela, gris, beige o gris azulado pálido.

Para la madre de la novia, si tiene una figura perfecta (¿acaso muchas madres modernas no parecen tan jóvenes como sus hijas?), un conjunto de vestido y chaqueta de seda es una excelente solución. El sombrero puede ser bastante grande, de lana o terciopelo en invierno y de paja en verano. Para las abuelas, un sombrerito de tul o velo resulta muy favorecedor en todas las estaciones, y puede formar un suave y elegante esquema cromático si es de un matiz distinto dentro del mismo color del conjunto.

También se pueden llevar zapatos y guantes a juego con el conjunto y un bolsito hecho del mismo tejido; pero se recomienda no llevar todos los elementos del mismo tono. Si es usted refinada en extremo, puede llevar un par de guantes de repuesto en el bolso, sobre todo si son blancos o muy claros, porque probablemente no quedarán impecables tras los saludos de la larga hilera familiar después de la ceremonia.

El séquito de la novia de las bodas modernas más elegantes está compuesto de niños. Mi fórmula favorita es: niños vestidos como los integrantes de un coro, con una larga toga roja, zapatillas rojas y una sobrepelliz blanca, aunque tendrán que cambiarse de ropa antes de la recepción, ya que este atuendo solo es válido para la iglesia.

Las niñas del séquito también quedan encantadoras con románticos vestidos largos (y les gusta mucho llevarlos), un gorrito, guantes muy cortos y un ramito. El tejido de los vestidos debería ser sencillo, como piqué de algodón. Pueden ir acompañadas de esos niños ataviados al estilo del pequeño lord Fauntleroy (el romántico personaje de Frances Hodgson Burnett), con pantalones largos, camisas con chorreras y fajines de seda con flecos.

Los colores deberían ser los mismos para niños y niñas. El mejor esquema cromático es: vestidos blancos, con los gorritos, fajines y ramos del mismo color; y para los chicos, pantalones de terciopelo negro o de satén blanco, camisas de satén blanco y fajines del mismo color del de las chicas.

En Francia, los recién casados desaparecen lo más discretamente posible durante la recepción. Pero en los países anglosajones, todos los invitados a la boda se reúnen alrededor para verles marcharse de viaje de novios. Es el momento de aparecer con un conjunto de viaje muy elegante: en verano, un traje de lino blanco con una blusa oscura, guantes, sombrero y zapatos oscuros; y en invierno, un traje de tweed o un vestido con un abrigo a juego. La novia debe despedirse de la recepción con ese conjunto aunque la auténtica luna de miel no empiece hasta el día siguiente y, en cuanto desaparece de la vista de los invitados, se quita el sombrero, los guantes y los zapatos, que son sus únicos enemigos en ese día especial.

Ya no es extraño que una mujer se case más de una vez. Cuanto mayor sea, más restringido será el número de invitados que asisten a una ceremonia que, en esos casos, es solo una formalidad para establecer un cambio de estado civil. Un conjunto elegante, como el que llevaría a un almuerzo chic —un traje o un abrigo de lana con un vestido y un sencillo sombrero— me parece el atuendo más adecuado; puede ser de cualquier color que le guste, incluido el negro, pero bajo ninguna circunstancia debe ser blanco.

BOLSOS

Una de las maneras más seguras de añadir distinción a un conjunto de calle corriente es llevar un bolso elegante, y una forma certera de deslucir un bonito conjunto es acompañarlo con uno viejo o vulgar. Este práctico accesorio es tan importante que merece una cuidadosa selección, e incluso una parte importante del presupuesto para ropa de vez en cuando.

En general, el tamaño del bolso debe estar en proporción con la persona que lo lleva. Resulta tan cómico —y por supuesto, poco elegante— ver a una mujer bajita con un gran bolso, como a una corpulenta matrona con un diminuto bolsito colgando junto a su busto generoso.

Además, cuanto más grande es el bolso, menos viste. Los modelos grandes solo son aconsejables para viajar y para la playa; mientras que en el otro extremo, el bolso de noche más elegante es ciertamente una *minaudière* que conjunte, o un bolsito que casi quepa en la palma de la mano.

La elegancia en bolsos es sinónimo de calidad, y esta, por desgracia, suele ser sinónimo de caro. Con todo, un bolso de buena calidad y bien hecho durará el triple de tiempo que uno barato, y a menudo acaba siendo una inversión rentable. Además, un guardarropa bien combinado requiere muy pocos bolsos. Yo diría que un mínimo de cuatro:

1. Un bolso grande para viajar y para llevar con ropa informal.
2. Un bolso de tarde para llevar con conjuntos urbanos y ligeramente de vestir. La opción más práctica es sin duda uno de tamaño mediano de piel negra con un cierre atractivo. El ante es mucho más frágil y el charol nunca resulta tan elegante. Los que combinan dos o más colores quedan muy bonitos con un conjunto monocromo, pero una opción más práctica para un guardarropa limitado es un bolso de un solo color: negro, marrón o beige.
3. Un bolsito de noche de seda, satén o terciopelo. Puede ser negro o del mismo tono que el abrigo. La fórmula ideal es tener varios, teñidos para hacer juego con los conjuntos de noche. Para los presupuestos ilimitados, hay una gran variedad de bolsitos de noche, más relacionados con el arte de la joyería que con la industria del cuero. Pero este aspecto de la elegancia está lleno de trampas para las mujeres que no tengan un gusto excelente. Los bolsos perlados, por ejemplo, solo resultan distinguidos en colores sólidos, y en especial los de tonos iridiscentes como negro azulado, verde oscuro, negro azabache y dorado cobrizo. El compañero ideal de un vestido negro de noche es un bolsito negro con un cierre dorado de joyería, siempre que la calidad sea excelente, es decir, que esté hecho por un joyero de verdad.
4. Para el verano, un bolso de paja beige, que puede ser de un tejido más rústico si las vacaciones se pasan en el campo, o

más fino, como el de un sombrero Panamá, si se está en la ciudad. En cualquier caso, un bolso de paja es un complemento indispensable para los vestidos de algodón y lino del verano.

La moda en bolsos cambia periódicamente, pero no tan a menudo como la moda en ropa. Un diseño que se convierte en clásico, como el bolso-maleta de Hermès, el famoso Kelly, puede seguir estando de moda durante diez años, pero los diseños excéntricos enseguida se quedan anticuados. Y dado que los diseñadores de complementos de piel son tan inventivos como los creadores de moda, es imposible predecir el futuro. Pero sea lo que fuere lo que esté de moda en el futuro, siempre es sensato rechazar los modelos raros y los adornos de moda pasajera en favor de las formas clásicas y los detalles conservadores.

Por último, no basta con poseer una selección de bonitos bolsos; una mujer elegante debe saber también elegir el bolso adecuado para cada ocasión y combinarlo con el conjunto. Si siempre resulta chocante ver un conjunto de vestir con un bolso deportivo, es posible añadir formalidad a un vestido sencillo, oscuro, o un traje negro eligiendo un bolso más de vestir que la misma ropa (véase la sección «Complementos»).

BRONCEADO

Los médicos y esteticistas han dado ya tantas voces de alarma acerca de los baños de sol que no hay necesidad de que añada mi advertencia.

Mientras que un cutis ligeramente bronceado da una agradable impresión de salud, una epidermis requemada envejece e incluso resulta poco elegante al volver a la ciudad después del veraneo. ¿Acaso existe alguna joven que no se haya sentido decepcionada al descubrir que el bronceado Adonis que resultaba tan divino en la playa o en las pendientes nevadas tiene un aspecto muy distinto al vestirse con ropa de ciudad? Para ser atractivo, un moreno intenso requiere aire libre, amplios escotes, brazos desnudos y colores vivos y claros (sobre todo azul, amarillo y blanco). Los tonos más neutros del atavío urbano a menudo hacen que una bronceada belleza parezca más bien una africana anémica.

Las piernas morenas permanecen así durante mucho tiempo y es mejor llevar un tono definitivamente más oscuro de medias de nailon tras las vacaciones de verano, ya que las más claras parecen blancas y opacas sobre una piel oscura.

La manía de volver de vacaciones lo más morena posible era tal vez comprensible cuando se pretendía poner verdes de envidia a los infortunados amigos que se quedaban en la ciudad durante todo el verano. Pero en la actualidad, cuando todo el mundo tiene acceso al sol, realmente no veo la ventaja de perder tanto tiempo achicharrándose.

Las amigas que me han conocido desde mi juventud dirán que antes tenía una manera muy distinta de ver las cosas. Y es cierto. Pero pueden aprovechar la experiencia de una mujer que ha estropeado sin remedio un cutis normal por tomar el sol en exceso.

CABELLO

Espero que no cuenten conmigo para que les dé una receta de champú con limón y aceite de oliva, que sirva también para el salmón frío o para eliminar la caspa. Ese tipo de consejos pertenecen al ámbito del dermatólogo o del chef *Cordon bleu*. Ahora bien, por lo que respecta a la moda, es cierto que la elegancia no se acaba en el nacimiento del pelo. De hecho, es impensable para una mujer elegante llevar el pelo revuelto o un peinado que no le sienta bien.

Si se echa un vistazo a la lista de mujeres mejor vestidas del mundo, es obvio que la mayoría de esas sofisticadas bellezas han adoptado, para empezar, un peinado no muy exagerado y no lo modificarán sino ligeramente a lo largo de los años. La duquesa de Windsor o la princesa Gracia de Mónaco jamás cambiaron de peinado de forma radical, y gracias a ello nunca dieron la impresión de envejecer; de hecho, sus fotografías de hace muchos años no parecen anticuadas. Siguiendo este principio, nos privaremos del placer de aparecer con un peinado completamente nuevo cada temporada, pero estaremos observando una de las reglas clásicas de la elegancia, esto es, descubrir nuestro mejor estilo y mantenernos fieles a él.

De jóvenes podemos divertirnos con pequeñas coletas, el pelo liso largo y suelto, flequillos en desorden y cambios por el estilo. Pero después de cumplir los cuarenta hay que adoptar un peinado sencillo: corto o peinado en un moño, bajo o alto, pero en ningún caso largas trenzas que caigan por sus hombros.

Tampoco debería usted excederse con la decoloración, el teñido y el coloreado para producir un tono deslumbrante. La naturaleza nos ha dado un color de piel y de ojos que suele armonizar perfectamente con el tono original de su pelo y en muchos casos nos interesa mantenerlo. Además, el negro azabache endurece mucho los rasgos, el rojo es demasiado agresivo y el rubio platino artificial resulta muy vulgar. Por último, no hay que avergonzarse del pelo gris, ya que suele ser muy favorecedor.

Por supuesto, si debe asistir a un importante acontecimiento social por la noche, ha de concertar una cita con su peluquero. Pero, por favor, no deje que le erija una elaborada construcción en lo alto de la cabeza para las ocasiones especiales. Simplemente vaya como siempre, impecable.

CALIDAD

Para que una tienda de calidad sea considerada como tal no se debe tolerar el mal gusto en su interior.

Por supuesto, en una tienda que no sea cara y no pueda permitirse el riesgo de perder ventas, es habitual que artículos sumamente chic convivan con otros que de tan corrientes resultan deprimentes. Pero un establecimiento de lujo no debe ofrecer nada que no pueda considerarse género de calidad. Solo entonces la clientela podrá confiar en la etiqueta y adquirir al mismo tiempo su vestuario y su tranquilidad.

En la alta costura es una actitud desconsiderada, por decirlo con suavidad, vender a una clienta un vestido que le quede ridículo. Es mejor, sin tener en cuenta el precio, negarse tenazmente a vendérselo, aunque ella insista en comprarlo. Al menos, ese ha sido siempre mi credo personal. Pero no estoy segura de que todos los vendedores tengan la perseverancia de mantener su punto de vista ante la oposición de una clienta. Muchos están tan concentrados en conseguir una venta que no tienen en cuenta la mala publicidad que representa una clienta mal vestida. No solo perderán a la clienta para siempre (porque nunca admitirá, ante una opinión contraria, que fue ella la que insistió en comprar el modelo poco favorecedor); pero, además, todas sus amigas harán correr por todas partes la voz de que no vale la pena pagar el precio de tal y cual diseñador solo para parecer una antigualla.

Así, por una vez, los intereses comerciales y estéticos son idénticos y una tienda de calidad nunca tendrá que avergonzarse ante lo que pase por sus puertas. Esa es una de las garantías que le ofrece a su clientela y por eso la palabra «calidad» suele ser sinónimo de «caro». A menudo es así, pero no siempre, y menos aún en estos días de progreso técnico. En otros tiempos, solo había que insinuar que una prenda tenía rayón para que las clientas volvieran despectivamente la cara. Pero hoy en día todas las mujeres son conscientes de las milagrosas ventajas de las fibras artificiales y los antiguos estándares de calidad se han adaptado a ellas. Además, ahora que tantos conjuntos elegantes están hechos de tejidos que antes se reservaban para ropa práctica, como cutí de colchones, tela vaquera o algodón, podríamos decir que el diseño se ha vuelto más importante que el material y que el significado de la calidad al aplicarse a un vestido ha cambiado de la idea de solidez hacia la de elegancia y confort.

Solo unas pocas mujeres pueden permitirse tener todas las prendas de su guardarropa de la mejor calidad. Pero cualquier presupuesto puede estirarse para conseguir unas cuantas piezas básicas de lujo, preferiblemente aquellas cuya calidad representa una inversión a largo plazo y muchas veces un ahorro al cabo del tiempo. Un ejemplo obvio es un traje hecho a medida o un bolso clásico de buena piel. ¡Un modelo Hermès es caro, pero dura diez años! Y hay otros complementos que pueden añadir prestigio a todo un conjunto, por ejemplo un bonito paraguas (si no tiene la costumbre de perderlos) o un jersey de cachemir.

Y por último, si puede permitirse solo una prenda de la mejor tienda de la ciudad, que sea un abrigo. No solo puede llevarse en un máximo de ocasiones, sino que es una prenda cuya impresionante etiqueta verá todo el mundo.

CALZADO

Mientras los diseñadores de moda preparan solo dos o tres colecciones al año, la industria del calzado nos ofrece un flujo constante de nuevos modelos originales que se crean o se importan con la esperanza de tentarnos al menos el doble de veces de lo que necesita una mujer bien vestida. Así, la mesura es absolutamente indispensable en este ámbito porque los zapatos deben ser el complemento de un conjunto, no un objetivo en sí mismos.

Los zapatos más elegantes del mundo nunca «forman» un atuendo. De hecho, si son demasiado visibles u ostentosos, no pueden ser elegantes. Pero al mismo tiempo, unos zapatos inadecuados pueden destruir por completo un aspecto agradable. Para simplificar las cosas, se pueden eliminar de un plumazo ciertos estilos que no tienen lugar en un guardarropa elegante:

— Tacones demasiado altos, que desequilibran la postura, distorsionan la silueta y resultan vulgares en exceso. Aunque se mida solo un metro cincuenta, nunca se deberían llevar tacones más altos de cinco o seis centímetros.

— Zapatos que dejan los dedos al descubierto; tal vez sean cómodos, pero en una calle de la ciudad abarrotada, nos exponen a recibir un pisotón, y a mojarnos los pies cuando llueve. Los zapatos de salón abiertos por delante estaban muy de moda en los años cuarenta, pero desde entonces, los vaivenes de la moda se han decantado sin duda por los cerrados, más o menos escotados, con un estilo que sigue y probablemente seguirá siendo el acompañamiento ideal de un atuendo de ciudad.

— Tacones de cuña, que las francesas solo aceptaron a desgana durante la guerra cuando, debido a la escasez de piel, los fabricantes se vieron obligados a inventar algo que pudiera llevarse sobre suela de corcho o de madera. Los tacones altos de cuña producirán con seguridad pesadez y dolor en las piernas. El colmo del mal gusto es que ese tacón sea de plástico transparente, con pececillos o flores flotando en su interior.

— Tiras atadas al tobillo, que no favorecen y dan un aire vulgar.

— Zapatos exageradamente puntiagudos, cuyas puntas, vacías, se vuelven hacia arriba después de usarlos unas cuantas veces; zapatos adornados con un enorme pompón rosa o un lazo gigante; en otras palabras, zapatos que llamen demasiado la atención.

— ¿Debo añadir que los tacones gastados y los zapatos sucios de barro son simplemente inadmisibles?

Siempre es buena idea llevar zapatos beige, del mismo color que las medias, con un vestido muy pálido, ya que estilizan bastante la silueta, mientras que los zapatos blancos harán que los pies parezcan enormes. Los zapatos de colores vivos (rojos, verdes, etc.) solo son chics con un conjunto de vestir, en forma de manoletinas que se llevan con ropa de algodón rústico, faldas deportivas y pantalones.

De hecho, las manoletinas y los mocasines son los compañeros obligatorios de los pantalones. Incluso la más leve sugerencia de tacón alto con pantalones largos o cortos puede reducir a la vulgaridad el aspecto más refinado. Para cambiar, se pueden probar esas imaginativas sandalias abiertas de tiras de cuero al estilo romano, decoradas con piedras, que quedan bien con las piernas bronceadas y sencillos vestidos de verano o pantalones en lugares de veraneo elegantes.

Las manoletinas son ideales para las niñas (hasta los doce años, aproximadamente, en que empiezan a llevar tacones medios), o para las jóvenes, en verano, con vestidos de falda acampanada. Pero nunca por la calle en la ciudad, ni siquiera en pleno agosto, porque producen una impresión de negligencia, como ocurre con todas las sandalias abiertas en el medio urbano. Por otra parte, los zapatos de salón de tacón alto quedan fuera de lugar en el campo, junto al mar o en la montaña, donde solo deberían usarse de noche y con atuendos muy de vestir.

Los zapatos de dos tonos resultan muy elegantes si ambos tonos son oscuros: marrón y negro, gris y negro, rojo oscuro y negro, etc. Los zapatos de salón con puntera vega en marrón y blanco o blanco y negro nunca han sido muy elegantes, pese a su popularidad. La verdad es que los zapatos marrones y blancos o blancos y negros solo quedan bien para jugar a golf.

Los de salón de cuero negro pueden llevarse casi con cualquier ropa, excepto conjuntos muy informales o deportivos; armonizan con el color de la mayoría de los atuendos, incluidos los colores blanco, azul marino y marrón. Combinan muy bien con un bolso de piel de cocodrilo negro, si no se quiere calzar zapatos también de cocodrilo negro (que además, solo deberían llevarse con ropa informal).

Si se llevan conjuntos deportivos, es mejor evitar los tacones muy altos o muy finos y elegir el medio tacón, tacones armados, o incluso planos por completo, siempre que no se lleve sombrero.

Por la noche nunca hay que ponerse zapatos de día con un vestido de noche, o zapatos deportivos con un conjunto de vestir, aunque sí se pueden llevar zapatos de vestir con un atuendo sencillo (pero no deportivo). El sueño de toda mujer es poseer un par de zapatos para cada uno de sus vestidos de noche, forrados de la misma tela. Por desgracia, a menudo esto no es posible, sobre todo si alguien lleva una vida social muy ajetreada y elegante y posee una amplia colección de trajes de noche. En este caso, la mejor solución es tener un par de zapatos de salón de satén o de brocado de un color claro o intenso que armonice con todos los vestidos y queden bien con el abrigo de noche, y además, un segundo par en satén o seda negro.

Un último consejo, el más importante: nunca se debe sacrificar por completo la comodidad en favor del chic, pues los zapatos demasiado estrechos, rígidos o que no se ajustan perfectamente a la medida darán una expresión cansada o torturada, y esa es precisamente la impresión que una mujer elegante no desea causar (véase la sección «Accesorios»).

CANTIDAD

Una de las diferencias más llamativas entre una mujer estadounidense bien vestida y otra parisina es el tamaño de sus respectivos guardarropas. Probablemente la estadounidense se quedaría sorprendida de ver el número tan limitado de prendas que ocupan el armario de la francesa, pero también observaría que cada prenda es de excelente calidad, cara para los estándares de Estados Unidos, y perfectamente adaptada a la vida que lleva la francesa. Se los pone una y otra vez y solo los descarta cuando están gastados o pasados de moda. Y considera un cumplido (y eso pretende ser) cuando su mejor amiga le dice: «¡Me alegro de que te hayas puesto tu vestido rojo, ¡siempre me ha encantado!».

Las estadounidenses suelen sorprenderse de los elevados precios de las tiendas de París y se preguntan cómo una chica joven al principio de su trayectoria profesional, que gana la mitad del salario que su homóloga estadounidense, puede permitirse llevar un bolso de piel de cocodrilo y un traje de la boutique Balmain. La respuesta es que compra muy pocas piezas; su objetivo es poseer un solo conjunto de buena calidad para cada ocasión de su vida, en lugar de una amplia gama de ropa para seguir todas las modas pasajeras.

Una francesa elegante espera que sus abrigos le duren al menos tres años, sus trajes y vestidos al menos dos, y sus vestidos de noche casi indefinidamente. Posee pocos juegos de lencería en cada época, pero los sustituye con frecuencia. Lo mismo puede decirse de sus zapatos y guantes, mientras que sus bolsos le duran años y años. Su guardarropa de vacaciones es lo único que renueva todos los veranos, y a menudo compra esas piezas prescindibles en grandes almacenes o en boutiques nada caras.

Por supuesto, esas dos actitudes distintas se deben a dos estilos de vida diferentes y es innegable que la mujer estadounidense se ve tentada constantemente por la publicidad de moda más irresistible. Además, le han enseñado que su papel en la economía nacional consiste en comprar y consumir sin cesar.

No obstante, me pregunto si no la ayudaría sustituir de vez en cuando su tendencia a la cantidad por una búsqueda de calidad. Descubriría que no solo aumenta su elegancia, sino también la seguridad que proporciona ir vestida con ropa de calidad.

CENAS

Cuando la invitan a una cena, se recomienda preguntar el número de invitados, así como el grado de formalidad de la ocasión. Generalmente, si se trata de una cena de etiqueta, su anfitriona le mandará una invitación escrita con la anotación «de etiqueta» en una esquina, y así usted sabrá que debe vestirse de noche, ya sea de largo o de corto.

Con todo, los trajes de noche no deben confundirse con los de baile, ya que deberían ser mucho menos elaborados. Los más elegantes son, por supuesto, hasta los pies, ya sean con mangas y escote pronunciado o sin mangas con escote alto, y pueden ser de lana o seda. Los vestidos cortos requieren un material más lujoso o incluso bordados con perlas.

Cuando se indica que los hombres vistan traje oscuro, se puede llevar un vestido de crepé negro escotado; sin duda eso es lo que harán las demás mujeres. Si esta perspectiva no le atrae (comprendo bien esa sensación), se aconseja un traje de noche de terciopelo o brocado de un color vivo en invierno, y de encaje o una seda crujiente y lustrosa de tonos pastel en verano, mientras que un vestido tubo escotado de punto blanco o de crepé es perfecto en cualquier estación del año.

De hecho, un vestido blanco de un tejido mate y con un diseño sencillo es una de las piezas de ropa más versátiles y útiles del mundo. Se mantendrá en su guardarropa durante años y usted lo acogerá como a un amigo fiel cada vez que lo descuelgue de su percha. Un vestido blanco es tan atractivo bajo un abrigo de invierno como a cuerpo en primavera y verano.

CHIC

El chic es la esencia del refinamiento informal, un poco menos estudiado que la elegancia y un tanto más intelectual. Se trata de una cualidad innata que poseen ciertos individuos, que a veces no son conscientes de ello. El chic solo es perceptible para quienes han adquirido cierto grado de civilización y cultura y que tienen, además, tiempo libre que invertir en mejorar su aspecto, así como el deseo de formar parte de una clase especial de élite, que podría llamarse «la aristocracia de la apariencia externa». Es un don de los dioses y no tiene relación con la belleza ni con la riqueza. Un bebé en su cuna puede tener chic, mientras que otro no.

Tal vez la mejor forma de describir esa cualidad sea dar algunos ejemplos:

La familia Kennedy tenía chic, pero la familia Truman no.

La desaparecida princesa Diana tenía chic; pero no la princesa Margarita.

Marlene Dietrich y Greta Garbo tenían chic; pero Rita Hayworth y Elizabeth Taylor, a pesar de su belleza, sus suntuosos vestuarios y joyas, carecían de él.

Para aumentar las posibilidades de adquirir chic cuando falta, la primera condición es ser consciente de que se carece de él. Entonces se puede delegar en especialistas expertos la responsabilidad de cambiar de silueta, de peinado, de maquillaje, gestos y guardarropa. Al menos hay que conocer el propio estilo general: deportivo e informal o exquisito y muy femenino. Hay que observar con atención las revistas de moda. Intentar encontrar en la vida real una mujer que sea un buen ejemplo del mismo tipo que usted y cuyo chic sea reconocido por todos; analizar cuidadosamente su forma de vestir y sus maneras para retener lo que pueda copiarse. Tal vez esta no sea una fórmula infalible para tener chic, pero es la mejor que conozco.

Además, si se es consciente de que se carece de chic, la batalla está ya medio ganada, porque los únicos casos desesperados son las mujeres que no tienen la más mínima idea de qué es chic y qué no lo es.

CITAS FAMOSAS

Acerca del vestir

«Viste cuan fino permita tu bolsa, mas no estrafalario; elegante, no chillón, pues el traje suele revelar al hombre» (Shakespeare).

Acerca de la elegancia

«La elegancia es algo más que facilidad, más que libertad para la torpeza y la restricción. Implica una precisión, un barniz y un destello que es inteligente, pero delicado» (Hazlitt).

Acerca de la moda

«Cada generación se ríe de las modas pasadas, pero sigue religiosamente la nueva» (Thoreau).

«Puede haber menos vanidad en seguir las nuevas modas que en adherirse a las viejas» (Joubert).

«La moda es solo el intento de crear arte en las formas vivas y el intercambio social» (Oliver Wendell Holmes).

«El exceso en cualquier sentido choca y todo hombre inteligente debería tenerlo en cuenta en su vestuario, así como en su lenguaje; no ser nunca afectado en nada, pero seguir, sin precipitarse demasiado, los cambios de la moda» (Molière).

«No hay que entrar demasiado temprano en la moda, ni tampoco ser demasiado lento en salir de ella; en ningún caso ir a los extremos» (Lavater).

Acerca del gusto

«El mal gusto es una especie de dudosa moral» (Bovee).

«El gusto es, por así decirlo, el microscopio del juicio» (Rousseau).

«Un gusto verdaderamente elegante suele ir acompañado de una excelencia de corazón» (Fielding).

CLIMA

Aparte de ser un tema de muchas conversaciones de cortesía en todo el mundo, el tiempo es también la excusa perfecta para los fallos de elegancia cometidos por mujeres que en general cuidan mucho su aspecto. Y con todo, ir bien vestida ya llueva o nieve no significa necesariamente estar condenada a pillar una neumonía cada invierno ni sucumbir de un ataque al corazón cuando sube la temperatura. Algunos de los conjuntos nacionales más atractivos del mundo se han creado en países donde el clima es extremo, como el fresco y grácil sari indio, o el romántico atavío de los cosacos rusos. Dentro de los límites de la elegancia occidental, hay varias maneras en que una mujer bien vestida puede adaptar su atuendo a los rigores de una oleada de frío siberiano o a un agosto tropical.

En condiciones de frío extremo se recomienda:

— mantenerse abrigada con una fina y ceñida camiseta de seda (escotada y de manga corta o sin manga para que no se vea) en lugar de apilar jerséis y cárdigans sobre un bonito vestido de lana, destrozando así su chic,

— llevar leotardos elásticos en lugar de medias de nailon transparentes (de colores vivos en el campo y de color media en la ciudad),

— vestirse como una campeona de esquí o un trampero canadiense en el campo, pero jamás llevar pantalones de esquiar en la ciudad,

— llevar vestidos de noche largos en vez de cortos siempre

que se pueda, y en casa, conjuntos consistentes en una falda de lana larga y un jersey de manga larga o conjunto de jerséis y chaqueta,

— aprovechar las estolas, que aportan elegancia y calor a los trajes diurnos y nocturnos, e incluso a los abrigos, si están hechos del mismo material. Las estolas de seda para la noche pueden llevar entretela de franela para añadir aislamiento a los vestidos muy escotados.

Cuando el mercurio se mueve en la dirección opuesta, el problema se vuelve a veces más difícil, porque la decencia impone ciertos límites en la cantidad de ropa que una mujer puede quitarse.

Con todo, en condiciones de calor tropical, se puede:

— simplificar la ropa interior reduciéndola al menor número posible de piezas separadas,

— recordar que la lencería de algodón es mucho más fresca que el nailon, y que una falda forrada de hilo es más cómoda que un viso aparte, que tiene la desventaja (sobre todo si es de nailon) de pegarse a las piernas,

— llevar vestidos sin mangas de lino, algodón o seda con escotes pronunciados, pero no mostrar nunca un escote profundo o una espalda desnuda en la ciudad,

— preferir los colores claros, que son más frescos que los tonos oscuros o vivos,

— considerar que las faldas vaporosas o plisadas resultan más cómodas que las estrechas y además se arrugan menos,

— evitar los talles ceñidos o con cinturón en favor de cortes imperio, princesa o trapecio, que dejan circular el aire por la cintura,

— recordar que las sandalias abiertas no son elegantes en la ciudad durante el día, y que las suelas de goma o sintéticas son insoportables con el calor; lo mejor son los zapatos de salón escotados, pero también se admiten talones abiertos,

— tener en cuenta que las medias son una ayuda para el confort de los pies en el calor del verano; pero si la costumbre de su ciudad es ir sin ellas durante los meses más calurosos del verano, asegúrese de que tiene las piernas bronceadas y bien cuidadas,

— siempre que sea posible, llevar un sombrero de paja, que produce un efecto refrescante, sobre todo si el ala es lo bastante ancha como para dar sombra a la cara y a la nuca,

— ponerse un perfume más fresco que el que se usa durante el invierno y preferir colonia y *eau de toilette* al perfume, más concentrado,

— seguir el ejemplo de los británicos en los trópicos: cubrirse la cabeza siempre que se salga al exterior, cambiarse de ropa lo más frecuentemente que se pueda, bañarse a menudo y andar siempre por el lado de la sombra (véase la sección «Lluvia»).

CÓCTELES

Un cóctel es la forma más característica de entretenimiento social. Mucho más sencillo que organizar una cena, requiere mucha menos imaginación y permite cumplir con las obligaciones sociales respecto a un número ilimitado de gente, con la que nos sería difícil mantener una conversación durante toda una velada. Es una especie de recepción desorganizada, en la que muchas mujeres disfrutan saludando a todos sus amigos y conocidos una vez al año o una vez al mes.

La perfecta anfitriona lleva un vestido ligeramente o nada escotado, pero de un tejido muy escogido. Si tiene buena figura, puede ponerse un sencillo vestido largo de tubo con escote alto.

Hay una tendencia a confundir los vestidos de cóctel con los de cena, aunque no son exactamente lo mismo. El vestido que lleva una invitada a un cóctel debería ser siempre poco escotado.

Si el cóctel va seguido de un bufet o una cena sentados a la que le han invitado a quedarse, el conjunto de vestir ideal es un vestido escotado con una chaqueta a juego.

COLOR

Quizá le parezca que el color es un aspecto de la elegancia que no cambia y que ciertas combinaciones de colores siempre quedarán bien. Sin embargo, el color es cuestión de moda, y un matiz o una combinación que nos parece imposible hoy puede encantarnos mañana. ¿Quién habría imaginado que ese tono beige masilla se convertiría en un clásico de conjunto, o que los intensos verdes y azules de las vidrieras de iglesias medievales se imprimirían en toda clase de tejidos o que, gracias a Dior, combinaríamos negro con marrón, azul marino con negro e incluso verde botella con negro?

En la práctica actual, una mujer solo necesita ejercer su propio criterio cromático de un modo bastante limitado. Dado que los guantes, zapatos y bolsos de piel resultan más chic en tonos neutros, una mujer elegante posee una selección de accesorios neutros: un bolso negro, uno marrón, uno azul marino y uno de paja natural; zapatos de cuero negro, marrón y beige. Y en lo que respecta al color, tiene que preocuparse únicamente de elegir sus sombreros, blusas, jerséis, chales y joyas en tonos que queden en refinada armonía con sus prendas básicas. Para quienes no se sientan muy seguras de su propio gusto, he aquí algunas combinaciones certeras:

Color básico claro	Color secundario
Blanco	Negro y todos los tonos oscuros y vivos
Beige claro	Negros, marrones, rojos, verdes
Gris claro	Marrones, verdes oscuros, gris oscuro, rojos
Azul cielo	Marrones, verdes oscuros, frambuesa, púrpura, beige, gris oscuro
Rosa	Beige, púrpura, azul marino, gris
Amarillo pálido	Negro, azul marino, marrón, gris
Malva	Ciruela, marrón, azul marino
Verde claro	Verde oscuro, rojo
Negro	Beige, blanco, tostado; tonos claros pero no pastel como el azul cielo o el rosa (excepto amarillo pálido para un sombrero, combinado con zapatos y guantes negros)

Color básico oscuro	Color secundario
Marrón	Blanco, beige, negro, escarlata, anaranjado, verde oscuro
Gris oscuro	Azul cielo, blanco, beige, rojo vivo, amarillo pálido
Ciruela	Azul cielo
Rojo oscuro	Negro, azul cielo, beige

Color básico vivo	Color secundario
Azul (con matices violeta)	Negro, blanco, verde azulado vivo
Turquesa (azul verdoso)	Blanco, beige, tostado, azul marino
Verde (azulado)	Azul marino, negro, blanco
Verde (amarillento)	Beige, blanco, tostado
Amarillo oro	Negro, blanco, marrón
Amarillo limón	Negro, blanco, azul marino, verde oscuro, rosa pálido, anaranjado
Anaranjado	Blanco, limón, negro, verde oscuro
Rojo frambuesa	Azul marino, blanco
Rojo vivo (bermellón)	Marrón, blanco
Púrpura	Marrón, blanco, azul cielo, rosa, turquesa

Todos los tonos pastel pueden combinarse bastante bien entre ellos, pero solo a mediados de verano o por la noche, en conjuntos muy de vestir. Los complementos pastel con un atuendo urbano suelen quedar más bien insípidos.

Es muy difícil formar una combinación elegante y armoniosa con tres colores distintos, excepto cuando dos de ellos son blanco y negro.

Algunos colores son más o menos favorecedores para la piel o el color del cabello que otros, pero a menos que sea usted una pelirroja flamígera (en cuyo caso se recomienda evitar la mayoría de tonos rojizos y rosados), no hay tabúes absolutos para la mayoría de las mujeres. Además, muchas han adquirido en la infancia ideas preconcebidas acerca de qué colores pueden o no pueden llevar, y a veces se privan de tonos muy favorecedores simplemente porque se niegan a probarlos.

Cuando se está muy bronceada, es mejor evitar el negro y el azul marino; en cambio, el marrón favorece mucho. También es verdad que los tonos pastel son menos conflictivos para la piel que los tonos más vivos y las mujeres de cierta edad suelen estar mucho más guapas de blanco, azul cielo, rosa, gris claro y beige que de negro o marrón.

El color rojo es casi siempre favorecedor y, además, alegra el ánimo; lo mismo puede decirse del azul celeste, que queda bien a toda clase de pieles, cualquier tono de cabello y todas las edades.

A la luz del sol, podemos permitirnos colores mucho más vívidos que en el ambiente grisáceo de la ciudad, a excepción del morado, que no resulta favorecedor a la luz de un sol radiante. Es más sensato evitar también el algodón azul marino, que a menudo parece apagado o desvaído.

Hay colores que prefiero personalmente: naranja, limón, turquesa y blanco para el verano; negro, gris, beige, azul marino y marrón para vestidos de ciudad; colores llamativos para abrigos y trajes, y blanco para la noche.

La verdad es que solo los tonos neutros son realmente chic para vestidos de día en la ciudad (pero los abrigos y los trajes son más atractivos en lana de tonos vivos), incluso en pleno verano, y sobre todo, para las mujeres que ejercen una profesión.

Para combinar colores que hay que llevar durante el día, es necesario verlos a la auténtica luz del día; y los colores que nos ponemos de noche solo pueden seleccionarse con luz eléctrica. Conviene llevar una pequeña muestra del tejido que se quiere conjuntar. También es indispensable haber decidido el color de cabello y el maquillaje que llevaremos al elegir un vestido, en lugar de murmurar vagamente: «Supongo que me quedará mejor con otro tono de carmín...».

Si bien los nuevos colores de moda que promueven con entusiasmo los directores de revistas de moda y los estilistas de los grandes almacenes pueden resultar tentadores en un principio, podemos cansarnos de ellos muy pronto. En cualquier caso, es preferible, por cierto, crear una paleta personal propia, pero sin necesidad de limitarse de manera exclusiva a los azules, marrones y beige. No obstante, antes de lanzarnos a la aventura de un tono completamente nuevo debemos asegurarnos de que podremos combinarlo con nuestro guardarropa actual, incluso cuando el artículo en cuestión consista nada más que en un par de pendientes.

En conclusión, una mujer elegante debe animarse a probar un color no habitual de vez en cuando, pero debe elegirlo abriendo los ojos tanto como la mente.

COLLARES

El collar ideal, la pieza de joyería universal más favorecedora que se ha creado hasta ahora y el complemento indispensable en el guardarropa de toda mujer, es el collar de perlas. Todas las mujeres deberían tener un collar de una sola vuelta y otro de tres a cinco hebras. Si se trata de una gran dama de cierta edad, puede llevar de siete a nueve vueltas. Igual que las rosas en un jarrón, un número impar es más elegante que uno par.

Las perlas pueden ser cultivadas, de imitación o —en el caso de unas cuantas mujeres afortunadas— auténticas. Pero no hay que envidiar a estas últimas. Suelen sentir terror ante la idea de lucir tan costosa inversión en torno a su cuello, o angustia si las han guardado en una caja fuerte, ya que las perlas auténticas deben llevarse con frecuencia para beneficiarse con el contacto con la piel y no perder su lustre.

El tamaño y el tono de una perla favorecedora depende de los rasgos individuales y el tono de la piel. En general, el mejor estilo para un cuello largo es una gargantilla ancha y uniforme, y para un cuello ancho, un collar más largo y en gradación, de varias vueltas. En cualquier caso, las sartas deben tener nudos entre las perlas por razones de seguridad, pero mejor que estos sean muy pequeños para que las perlas estén juntas y desplieguen todo su brillo.

La elección del cierre es importante, ya que uno hermosamente tallado en un collar de más de una vuelta puede colocarse también delante o cerca del hombro y dar la impresión de que se llevan dos o tres collares distintos.

Un collar de oro solo es elegante cuando el trabajo de orfebrería es soberbio, sobre todo si es un diseño antiguo o incrustado con piedras semipreciosas. La simple cadena de oro hecha a máquina, cuyo valor estriba más en su peso en quilates que en el arte del orfebre, nunca es muy elegante.

Los collares valiosos de herencia familiar que se han transmitido de una generación a otra en las familias aristocráticas apenas se ven hoy día, excepto en ciertos bailes privados muy elegantes o en determinadas ocasiones oficiales. Pero incluso en tales acontecimientos, muchas bellezas de la sociedad parisina corren a la mañana siguiente a la place Vendôme a devolver una sarta de esmeraldas o de rubíes al joyero que se las prestó solo por una noche.

Los diseños de conjuntos de collares han introducido nuevas tendencias, aunque no estén tan favorecidos en este momento como los broches. Muchos escotes pronunciados, vestidos sin tirantes y cuellos redondos y altos necesitan el complemento de un collar. El único tipo que hay que evitar es el estrás, que es siempre una imitación de los collares de brillantes y que, como todas las imitaciones, son el colmo de la falta de elegancia. Sin embargo, cuando el estrás va combinado con piedras de colores o perlas, sobre todo en una reproducción de estilo antiguo, puede dar gran originalidad y brillo a un conjunto de noche.

Las perlas o el collar de oro (no tan chic) pueden llevarse desde primera hora de la mañana, y un sencillo collar de bisutería o piedras semipreciosas como turquesa y coral, desde la hora del almuerzo.

Si alguien no confía en su propio gusto, debería saber que siempre es seguro y muy chic llevar:

— con traje y jersey: en la ciudad, perlas; en el campo, perlas o grandes cuentas de colores,

— con un vestido de color: perlas o un collar de varias vueltas de cuentas de color que armonicen; por ejemplo, cuentas amarillas con un vestido naranja, coral con azul pálido, turquesa con beige y jade con azul marino,

— con un vestido negro: tres sartas de perlas,

— con un vestido estampado: perlas o cuentas de color que subrayen uno de los tonos del estampado.

Los collares de azabache solo son elegantes cuando se llevan con conjuntos blancos. Las cuentas blancas son elegantes solo en verano, a excepción (¿debo repetirlo?) de las perlas, que pueden llevarse en todas las estaciones (véase la sección «Joyas»).

COMODIDAD

La idea de comodidad se ha extendido a todos los ámbitos; se trata de uno de los imperativos categóricos de la vida moderna. Cada vez nos resulta más difícil soportar todo aquello que supone la más mínima incomodidad; de hecho, muchos de los detalles que hace unos años se consideraban un signo de elegancia se condenan hoy porque no resultan prácticos ni confortables. Los únicos elementos reacios al cambio son los zapatos femeninos, cuyas formas siguen siendo a veces absurdas y contrarias al sentido común y la comodidad.

A la mayoría de las personas le gusta cambiar radicalmente de forma de vida durante las vacaciones y transformarse en rústicos campesinos o isleños de los mares del Sur. Como resultado, el vestuario de vacaciones se ha vuelto muy cómodo o se ha reducido a su más simple expresión. Además, sería inapropiado llevar a un complejo turístico de playa el mismo conjunto supersofisticado que causó sensación la semana anterior en un cóctel. En el futuro, la misión de los diseñadores de moda será sin duda crear una perfecta combinación entre comodidad y elegancia, y eliminar así el peligro de desanimar a las clientas con la alta costura, en la que a menudo los modelos sofisticados son incompatibles con la vida diaria de las mujeres modernas.

Sin embargo, si las mujeres siguen buscando la comodidad por encima de todo, veinticuatro horas al día y doce meses al año, al final tal vez descubran que se han convertido en esclavas de su entrenador de gimnasia, vestidas con lycra de pies a cabeza, consumiendo comidas preparadas, haciendo viajes organizados...; uniformidad funcional y estulticia generalizada. Cuando la comodidad se convierte en un fin en sí misma, es el enemigo público número uno de la elegancia.

COMPLEMENTOS

Los accesorios que acompañan a un conjunto —guantes, sombrero, zapatos y bolso— se cuentan entre los elementos más importantes de un aspecto elegante. Un vestido o un traje modesto puede triplicar su valor aparente con un sombrero, bolso, guantes o zapatos elegantes, mientras que la obra original de un diseñador quizá pierda mucho de su prestigio si no se seleccionan cuidadosamente los complementos.

Muchas veces una mujer compra un abrigo o un traje sin pensar que su precio se duplicará con la adquisición de los complementos correctos si desea obtener todo el conjunto de un color que no figura en su guardarropa.

Es indispensable poseer un juego completo de complementos en negro y, si es posible, otro en marrón, además de un par de zapatos beige y un bolso de paja también beige para el verano. Con esta mínima base, casi cualquier combinación es atractiva. Recuerdo lo atrevido que pareció cuando Dior combinó por primera vez marrón y negro en un mismo conjunto, pero ahora esa armonía se considera un clásico, como el azul marino con negro.

Por supuesto, sería ideal tener cada serie de complementos en dos versiones distintas: una para ropa informal o sport y otra para vestir. En este sentido, no puedo dejar de expresar la consternación que me produce ver a una mujer que lleva un bolso de piel de cocodrilo con un conjunto de vestir solo porque ha pagado por él una enorme suma de dinero. El cocodrilo es estrictamente para ropa informal, de sport o viaje, tanto zapatos como bolsos, y a ese temido reptil se le debería permitir retirarse a partir de las cinco de la tarde.

Los zapatos de colores vivos únicamente quedan bien por la noche bajo la luz eléctrica con un vestido de noche corto o largo. En cuanto a los zapatos blancos, no deberían verse nunca en las calles de la ciudad (excepto, por supuesto, en ciudades tropicales) y, en cualquier caso, solo en verano acompañando a un vestido blanco. Con tonos pastel, un bolso y unos zapatos beige son mucho más acertados que blancos.

Personalmente, aparte de un bolsito de noche de satén liso o bordado con cuentas, no me gustan los bolsos blancos que algunas mujeres no pueden evitar llevar en cuanto ven brillar un rayo de sol. Están bien para la playa o los lugares turísticos de verano, pero resultan un tanto provincianos en las calles de la ciudad, incluso en pleno agosto.

Una de las mujeres mejor vestidas de París, madame Bricard, que inspiró muchas destacadas creaciones de Dior, nunca llevaba bolso. En su lugar, tenía una serie de bolsillos ocultos en el forro de los abrigos. Pero no hay necesidad de llegar a ese extremo.

Y hablando de los pequeños objetos que llevamos en el bolso, pueden ser encantadores, aún más si hacen juego. Así que decídanse por un color y un material y poco a poco intenten adquirir un juego completo: cartera, monedero, estuche para el peine, llavero, funda de gafas, etc. (¡Un tema ideal para los pequeños regalos!) El estilo de su conjunto dependerá de la profundidad de su cartera. Pero tanto si es una sencilla como si se trata de una valiosa cajita de oro antigua, intenten que el pintalabios haga juego y, por supuesto, un pañuelo limpio cada mañana. Personalmente prefiero los pañuelos blancos, bordados con mis iniciales.

En pocas palabras, es necesario pensar mucho en los complementos y no comprar nunca por impulso algo que esté fuera de lugar en su planificación. El dicho: «No puedo permitirme comprar barato» nunca ha sido más verdad que en este caso. Aunque estoy lejos de ser rica, durante años he comprado mis bolsos en Hermès, Germaine Guerin y Roberta. Y he acabado por deshacerme de todos los bolsos novedosos y baratos que me parecieron irresistibles a primera vista. Lo mismo ha sucedido con zapatos y guantes.

Me doy cuenta de que todo esto puede parecer bastante severo e incluso muy caro. Pero esos esfuerzos constituyen una de las claves, uno de los «ábrete, sésamo» que despejan el paso a la elegancia (véanse las secciones «Bolsos», «Calzado»).

CONJUNTAR

Dado que la coordinación es esencial para la elegancia, los estilistas de moda intentan facilitar las cosas ofreciéndonos distintos juegos de complementos e incluso guardarropas enteros completamente coordinados. Sus esfuerzos son dignos de elogio y han contribuido sin duda a mejorar el panorama urbano. Sin embargo, como en cualquier otro aspecto de la elegancia, la discreción es siempre la mejor política.

Si a una mujer le encantan los cuadros Burberry, por ejemplo, no debe dejarse llevar por el descubrimiento de que puede comprarse gorro, guantes, bufanda, jersey, zapatos, bolso… e incluso montura de gafas con los mismos cuadros que su nuevo traje. Es mejor contentarse con un simple par de complementos a juego y el sacrificio se verá recompensado, pues estará mucho más elegante.

Los colores lisos admiten la repetición mucho mejor que los tejidos estampados y con dibujos. Pero pese a todo, un conjunto todo azul marino o todo beige resulta menos monótono y más chic si se añade un toque de otro color o con otro tono de la misma gama cromática, que siempre es una fórmula infalible.

Tras el consejo de actuar con medida en la tendencia a combinar, debo añadir que hay una serie de casos en los que hacerlo es sin duda lo más elegante. Siempre es de buen gusto llevar a juego:

— la gabardina, el sombrero de lluvia y el paraguas,
— la bata y las zapatillas,
— las maletas, o al menos las piezas más grandes,
— la blusa y el forro del traje,
— un abrigo de vestir con un vestido.

El buen gusto y la mirada objetiva son los mejores jueces en este aspecto, porque no hay reglas definidas que gobiernen el grado en que se pueden combinar con elegancia los distintos elementos de un conjunto con estilo. Por otra parte, combinar en exceso no es un error tan grave. Los conjuntos y complementos coordinados previamente ofrecen una solución simplificada a muchos problemas de moda y sus efectos suelen ser atractivos. Pero también dejan traslucir cierta falta de esfuerzo e imaginación.

CREMALLERAS

Seguramente el inventor de la cremallera fue un cansado e impaciente marido, harto del ritual nocturno de desabrochar una interminable hilera de botoncitos que recorría la espalda del vestido de su esposa. Fuera cual fuese la fuente de inspiración, las cremalleras son un maravilloso adelanto técnico pero, por desgracia, menos admirable desde un punto de vista estético. Por consiguiente, deberían ser imperceptibles en la medida de lo posible, del mismo color a juego con la prenda de ropa, ocultas bajo una tira plana y no más largas de lo necesario para permitir ponerse y quitarse la prenda con facilidad.

El defecto más grave de las cremalleras es su falta de elasticidad. Ideales cuando se desea una línea recta y lisa, no pueden utilizarse en un vestido ablusado o drapeado, y en ese caso habrá que reemplazarla por corchetes y broches de presión, o alternar botones y corchetes. Sin duda, una espalda cerrada con botones es más chic que una cremallera, pero también resulta mucho más problemática. A la mayoría de los modistos les desagradan asimismo los cierres de cremallera en las mangas largas, pero incluso en este caso hay que reconocer que son más prácticas que los botones.

Los diseñadores considerados intentan evitar poner una cremallera allí donde pueda producir molestias —si hay que sentarse encima, por ejemplo—, así como cuando el hecho de añadir dos centímetros a la tira de la cremallera puede ensanchar la cintura o la línea de las caderas. Por esta razón, las cremalleras traseras son preferibles para los vestidos; y las delanteras —como las usan los hombres—, para los pantalones, dos cremalleras cortas a cada lado de la espalda son ideales para las faldas rectas.

CUERO

Las prendas de piel deben ser antes que nada prácticas, ya que se adaptan bien a un modo de vida informal, pero nunca resultan elegantes en la ciudad.

Cuando se tiene una auténtica pasión por el cuero, se puede intentar satisfacer su ansia con una chaqueta de ante larga hasta las caderas, o con un abrigo de cuero brillante que pueda servir de impermeable y resultará útil para los fines de semana, en los coches descapotables y durante las caminatas por el campo. Pero no conviene comprarse una falda o unos pantalones de cuero porque al cabo de unos días ya formarán bolsas, por muy estrechas que sean las caderas.

CUIDADO Y ARREGLO PERSONAL

No hace falta decir que es imposible ir al mismo tiempo bien vestida y mal arreglada. Ambas cosas son contradictorias, aunque ir desarreglada consista simplemente en detalles como unos mechones sueltos, unos guantes sucios, una carrera en la media, un tacón gastado, un polvillo de caspa en el cuello del vestido o una mancha de sudor bajo el brazo.

La piedra angular de la elegancia podría representarse con una pastilla de jabón. Aunque ir bien lavada, con el pelo limpio y peinado no conduce necesariamente a la elegancia (si así fuera, las mujeres más elegantes del mundo serían las enfermeras en un hospital), sin embargo, es un hecho que una mujer no puede ser elegante a menos que su higiene y arreglo personal sean impecables.

Hay cierto tipo de desaliño, una negligencia más o menos estudiada que, en ciertas circunstancias (por ejemplo, en vacaciones) puede resultar el colmo del chic. Pero esas sutilezas no están al alcance de toda mujer, y vale más dar la impresión de estar saliendo de una sombrerera que de acabar de levantarse de la cama.

Toda mujer debería tener a su disposición un espejo de cuerpo entero, así como un buen espejo de mano de aumento. Y no debería considerarse presentable hasta que haya comprobado que lleva:

— manos y uñas impecables; nada resulta más desaliñado (ni es tan fácil de remediar) que el esmalte astillado,

— el pelo limpio y bien peinado,

— el maquillaje bien extendido e invisible (la base de color debe unificarse en el cuello para evitar el efecto de una máscara que se interrumpe bruscamente bajo la barbilla),

— los zapatos limpios y en buen estado,

— las medias con las costuras rectas (si no se pueden alinear, es mejor llevar medias sin costuras; y si hacen bolsas en los tobillos o rodillas, hay que probar las de nailon),

— la falda planchada para eliminar arrugas de asiento por delante y bolsas por detrás,

— el dobladillo igualado en todo el contorno,

— los tirantes del sujetador bien ocultos,

— la ropa limpia y sin manchas (hay manchas que no se ven a la luz eléctrica, pero llaman la atención a la luz del día),

— no descuidar el desodorante, colonia o *eau de toilette*, y como toque final, un rociado de perfume del mismo aroma.

No hay que desanimarse por la longitud de la lista. Todos esos detalles pueden verse con una ojeada y unos segundos al día constituyen una modesta inversión para aumentar la autoestima.

El desaliño crónico y la falta de cuidado o higiene en una mujer, hasta el extremo de «abandonarse», es, una de dos, o cuestión de carácter o de fatiga física o psíquica.

En el primer caso, hay pocas esperanzas de mejora. Pero en el segundo solo se requiere un poco más de organización del programa diario, o algo que ayude a mejorar el ánimo y que inspire la fuerza de voluntad necesaria para ir a la peluquería o pedir hora para la manicura.

La peluquería es un poderoso antídoto en casos de crisis nerviosa. Una mujer desaliñada está casi siempre deprimida o desilusionada y la idea de levantar el ánimo con un nuevo corte de pelo es mucho más que una graciosa leyenda; es un auténtico remedio terapéutico.

DESPLAZAMIENTOS (VIVIR EN LA PERIFERIA)

Cuando se tiene la suerte de poder escapar al campo cada atardecer huyendo de los humos y ruidos de la ciudad, el guardarropa tendrá que ser algo distinto del que usa quien vive de forma permanente en la ciudad.

Un traje clásico bien cortado será el aliado más fiel, y debe elegirse con la idea de que dure unos cuantos años. Esto significa que hay que evitar a toda costa las modas pasajeras. Debería ser tan clásico y tan bien cortado como un traje masculino y con un tono neutro, como gris o beige, que pueda llevarse todo el año.

Si una persona se traslada a la ciudad a diario, necesitará además un excelente abrigo. En verano es ideal uno ligero o una gabardina, cortada y confeccionada como si fuera de paño, para cubrir un traje que puede ser demasiado ligero durante los trayectos en tren a primera hora de la mañana; siempre se puede llevar en el brazo al volver a casa a última hora de la tarde. Un conjunto de vestido y chaqueta de algodón es una excelente fórmula para las estaciones cálidas.

Si se trata de alguien que se desplaza en coche cuando decide pasar el día en la ciudad, no tendrá problemas. Puede vestirse igual que si viviera permanentemente en la ciudad (véanse las secciones «Adaptabilidad», «Armario ideal»).

DISCRECIÓN

La discreción, una especie de buen gusto refinado, suele ser sinónimo de elegancia y hasta las ocho de la tarde debería constituir el principal objetivo. Pero la discreción no debe confundirse con lo insípido o la monotonía. Un sencillo conjunto negro con un estilo actual es discreto, mientras que un conjunto de color rojo vivo con un diseño que fue la última moda cinco años atrás es como el toque de una goma de borrar. Logra que su portadora se desvanezca en la brumosa masa del anonimato.

Una mujer discretamente vestida atrae al principio una mirada pasajera; pero la mirada vuelve enseguida y observa que cada detalle de su conjunto forma una armonía perfecta; la mujer insípida, en cambio, es olvidada en un segundo.

Para conseguir la elegancia más discreta, que es la máxima aspiración en el arte de vestir, una mujer debe tener un don especial si no ha pasado toda su vida en ese ambiente, o bien tendrá que dedicar mucho esfuerzo a la cuestión. ¡Y no piense ni por un momento que logrará esa perfección de manera automática pagando una enorme cantidad de dinero a un famoso modisto! La verdad es que suele ocurrir exactamente lo contrario, ya que un diseñador de éxito se ve obligado a buscar efectos impactantes inventando una silueta espectacular o unas armonías de color insólitas.

Una persona que ha tenido éxito en la vida no sigue sintiendo la necesidad de llamar la atención. Tal vez por ese motivo, muchas mujeres ricas y preeminentes se vuelven cada vez más conservadoras con su vestuario.

Si no se cuenta con medios que permitan vestirse con diseños originales, es preferible inclinarse aún más hacia el lado de la discreción, porque una prenda que no solo es exagerada, sino además mal confeccionada, es el colmo de la falta de elegancia.

DOBLADILLOS

Los dobladillos suben y bajan a capricho de sus señores, los diseñadores de moda, pero unos principios básicos se mantienen invariables:

— las faldas rectas deben tener dos centímetros más que las de vuelo,

— los dobladillos deben tener dos centímetros menos por detrás que por delante,

— los abrigos largos deben tener de uno a dos centímetros más que todas las faldas y vestidos; y las enaguas y combinaciones, de uno a cuatro centímetros menos,

— la altura de los tacones afecta a la altura de los dobladillos. Una falda que se lleva con tacón bajo debe ser ligeramente más corta que la que se lleva con tacón alto.

A veces, el modo en que está cosido un dobladillo dice más que la etiqueta acerca del precio que se ha pagado por una prenda. A menudo merece la pena deshacer el dobladillo cosido a máquina de un vestido de confección y coserlo bien antes de estrenarlo.

El ancho estándar de un dobladillo es de cinco centímetros y las puntadas deben ser invisibles por completo desde el exterior. Siempre que sea posible, deben ocultarse en el espesor del tejido, y si se trata de una tela demasiado fina, la falda debería estar forrada y el dobladillo cosido al forro. Si el tejido es transparente, no hay dobladillo y el borde se remata orillándolo como un pañuelo. El tul tampoco lleva nunca dobladillo, sino que se corta simplemente a la longitud necesaria.

Los tejidos que se pueden deshilachar, como los tweeds gruesos, el punto y la lana deben llevar los bordes completamente sobrehilados antes de hacer el dobladillo. El borde de los tejidos que arañan debe rematarse con una cinta cosida a modo de ribete sobre el borde; el dobladillo se cose a través de la cinta.

Uno de los secretos de la alta costura es bastear una tira de franela al bies dentro del pliegue del dobladillo, para que el borde inferior de la prenda quede levemente redondeado y no aplastado en una arruga pronunciada cuando vuelve de la tintorería.

EDAD

Hay un dicho en Francia según el cual «la elegancia es el privilegio de la edad», y gracias al cielo, eso es totalmente cierto. Una mujer puede ser elegante hasta el fin de sus días. Sin embargo, a medida que pasan los años cambia de tipo, y debe ser lo bastante inteligente y objetiva para reconocerlo.

Es divertido observar que una abuela disfrazada de joven no resulta más ridícula que una adolescente disfrazada con un conjunto apropiado para una mujer de mundo de cuarenta años.

A las mujeres jóvenes hay que excusarles cierta excentricidad, una especie de negligencia deportiva que con los años les hará sonreír. ¡Yo me estremezco cuando pienso en cierta ropa de playa y determinados sombreros que mi pobre marido sin duda habría preferido no ver en mis días de juventud! Pero la elegancia solo puede adquirirse al precio de numerosos errores que, más tarde, se reconocen como tales.

Hay ciertos tabúes para las señoras mayores o, mejor dicho, para las señoras que parecen mayores; colores demasiado vivos y estilos demasiado extremados, por ejemplo, una falda demasiado corta.

Algunos tonos son poco favorecedores para el cabello gris: en general, todos los tonos excéntricos y agresivos como azul eléctrico, anaranjado brillante, rosa intenso y verde guisante. Por otro lado, los colores pastel, gris, beige, rojo, blanco y negro suelen ser apropiados; pero siempre es mejor llevar algo claro en el escote de un vestido negro —varias sartas de perlas, por ejemplo— para evitar el efecto endurecedor del negro junto a la cara.

Ciertos materiales son poco adecuados para una piel que ha dejado de ser tan lisa como la de una colegiala: los tweeds más gruesos, el abultado mohair y las sedas y satenes brillantes y rígidos.

Los amigos más leales para una mujer ya no tan joven son:

— todos los tonos pastel,
— todos los encajes, crepés suaves y pura lana,
— escotes atractivos, pero nunca sin tirantes,
— chales, estolas y pashminas,
— sombreros con alas que den sombra a los ojos,
— en verano, mangas cortas que sean frescas, pero que no descubran la parte alta de los brazos.

Igual que la ropa clara favorece más a partir de cierta edad, lo mismo ocurre con el cabello. Las mujeres a las que no les gusta el cabello gris o que lo encuentran poco favorecedor suelen empezar cubriéndose las canas o tiñéndose el pelo de su color original. Pero al cabo de unos años, es acertado replantearse la cuestión y considerar si no quedaría mejor revelar el gris natural o rebajarlo a un tono más claro, más suave. El cabello blanco puro suele ser siempre bonito, excepto cuando se le da un tinte exageradamente azulado o rosado.

El maquillaje debería ser más suave, pero nunca abandonarse del todo, pues parecería anticuado y descuidado. Tal vez el error más común de la mujer mayor sea ponerse dos manchas de *rouge* en las mejillas, y yo a menudo me he preguntado si se debe a la vista deficiente o al mal gusto. El procedimiento más seguro es:

— utilizar un colorete en crema, que se funde más suavemente que en barra,

— examinar el rostro en un espejo a plena luz del día y con las gafas puestas; entonces, eliminar sin piedad cualquier indicio de exceso de maquillaje.

Demos un salto de una década o más, y brindemos nuestro homenaje a las señoras de más edad. No pensemos ni por un momento que una mujer elegante deja de prestar atención a su ropa una vez que llega a los setenta... Hay formas muy sencillas de mantener un aspecto elegante:

— No prescinda de los tacones; elija zapatos de tacón medio y más firmes.

— Si tiene venas varicosas, utilice medias apropiadas elásticas de nailon de un color neutro. Parecen transparentes, pero son en realidad opacas.

— Elija ropa fácil de poner y quitar, con botones delanteros en el cuello, por ejemplo, o cremalleras extralargas a la espalda. Como probablemente su flexibilidad ha disminuido con los años, no se obligue a luchar con un vestido que hay que sacarse por la cabeza. Casi todas las prendas de ropa pueden arreglarse para podérselas quitar y poner por abajo.

— Como probablemente pasa más tiempo sentada, lleve faldas ligeramente acampanadas o *évasées*, más apropiadas para sentarse, que estén forradas de tafetán o seda para evitar las bolsas. Evite, por encima de todo, las faldas rectas y estrechas que quedan más arriba de las rodillas al sentarse.

— A medida que sus vestidos, abrigos y trajes se vuelven más sencillos, preste más atención a la elegancia de los complementos. El guardarropa ideal de una mujer mayor debería consistir en pocas prendas de excelente diseño y calidad y una amplia variedad de accesorios extremadamente refinados.

— Lleve solo los más bonitos chales de mohair en tonos pálidos y cárdigans de cachemir de colores pastel que pueda permitirse, los cuellos de piel más pequeños y bonitos y las faldas, batas y camisones más elegantes también en tonos pastel.

— Y finalmente, sea muy exigente con su arreglo personal. Un dobladillo desigual, unos zapatos gastados o un peinado deshecho resultan siempre poco atractivos.

En resumen, la evolución de la elegancia de una mujer más allá de cierta edad debería ir al ritmo de su forma de ser, y a un paso más sereno en general. El «otoño de la vida», como se llama a esa época con delicadeza, debería ser como un movimiento de adagio con las claves de modestia y buen gusto. Habría que considerar las modas pasajeras desde un punto de vista más amplio y seguir siendo fiel a lo que a cada una le favorece más. Las mujeres más elegantes son aquellas que han descubierto su estilo personal y que, tras años de vestirse con cuidado, saben exactamente qué les queda bien.

EMBARAZO

Hay que reconocer que el periodo del embarazo no siempre es el más propicio para la elegancia. Problemas en el cutis, una cintura en expansión y un cuerpo que se vuelve más torpe hacia el final son elementos de una figura que no siempre alegra contemplar en el espejo. Pero como casi todas las mujeres pasan por esta experiencia en algún momento de su vida, es mejor aceptar la situación con buen humor y aprovecharla lo mejor posible. Además, algunas mujeres tienen la suerte de embellecer realmente durante el embarazo.

Las tiendas especializadas en moda premamá no solo ofrecen la posibilidad de vestir con elegancia durante el embarazo por precios asequibles, sino que también han desarrollado una nueva moda en el vestuario de las futuras mamás. En la actualidad, las tendencias predominantes son líneas que se estrechan y vestidos cortados al bies, en lugar de jaretas y franjas extensibles.

La mejor combinación para la noche es una falda fina con una variedad de tops en forma de túnica o cono invertido y que lleguen al final del muslo. Los chales largos y pashminas favorecen siempre, pero en esa época son una bendición porque parecen estilizar y alargar la figura.

Lo mejor es comprar solo unas pocas prendas durante el embarazo y llevar los mismos vestidos una y otra vez hasta cansarse. De este modo podrán deshacerse de ellos cuando finalice el embarazo sin echarlos de menos. Por encima de todo, no hay que intentar estrecharlos cuando se haya recobrado la figura. La ropa que se haya llevado durante esos largos meses deja de gustar después del parto.

No hace falta mencionar la ropa del bebé porque probablemente la futura madre no ha pensado en otra cosa... Recuerde al comprar algo para él o ella (como para sí misma) que no se deben mezclar demasiados colores distintos. El rosa tiene unos matices muy femeninos y el azul claro, reservado tradicionalmente para los niños, también es bonito para las niñas; el amarillo parece el favorito del dormitorio infantil. Pero una canastilla basada en el blanco será quizá la más práctica, porque permitirá utilizar los complementos del bebé que seguramente recibirá como regalos y serán de todos los colores del arco iris.

EQUIPAJE

Las distintas piezas de un equipaje son servidores útiles, pero asimismo muy indiscretos, ya que descubren la posición social de quien las lleva más claramente que el atuendo. También revelan, según el modo en que se preparan, el carácter y costumbres, y personalmente, yo no tendría muy buena opinión de una mujer que arrojase de manera descuidada sus zapatos sobre sus camisones, por ejemplo, sin tomar la precaución de envolverlos en bolsas especiales para zapatos.

Desde el maletín atiborrado de papeles, un cepillo de dientes y una cuchilla de afeitar que lleva un ocupado ejecutivo en un viaje de negocios relámpago, hasta la montaña de maletas de cuero a juego que lleva un equipo de porteadores tras una estrella de cine envuelta en visón y aferrada a un joyero de piel de cocodrilo, existe una amplia gama de equipajes más o menos elegantes. Es bastante raro, excepto en el caso que antes mencionaba de la estrella de cine, comprar un juego completo de maletas de una sola vez. Además, toda una serie de bolsas nuevas siempre parece propia de un nuevo rico, a menos que acompañen a una pareja de recién casados en su luna de miel. Es mucho más elegante y menos oneroso comprar una o dos piezas al mismo tiempo, según las necesidades, si no de un diseño idéntico, al menos de la misma gama de color beige o tostado, por ejemplo, o todo negro. Las bolsas estampadas deben ser del mismo color y estilo, o bien combinadas con maletas de color liso de la misma piel que los refuerzos de las piezas estampadas.

El neceser femenino se ha simplificado mucho con los años y se ha ido reduciendo en volumen y peso. Hoy los más elegantes son los estuches rectangulares con o sin compartimentos y elásticos en los que pueden colocarse frascos y botes de pie. Personalmente, considero innecesario cargarme con esa pieza de equipaje adicional y prefiero una bolsa amplia e impermeable, llena de pequeños botecitos de plástico con mis distintas lociones y cremas.

Hoy en día no tiene mucho sentido viajar con gran cantidad de productos de belleza, excepto en el caso de un largo viaje a tierras salvajes no descubiertas aún por Elizabeth Arden. Es mejor llenar los recipientes de plástico solo con la cantidad necesaria para la duración del viaje.

Al hacer una maleta, hay que colocar las pertenencias en el siguiente orden: primero, en el fondo, artículos pesados como zapatos, productos de baño y bolsos; después, todo lo que no se arruga —ropa interior, jerséis y pantalones— dispuestos de tal modo que formen una superficie plana y regular sobre la que se puedan extender las faldas, chaquetas, vestidos y blusas. Es indispensable llevar recipientes y bolsas transparentes para aislar artículos sucios o húmedos.

Como regla general, es mejor discutir con un marido que cree que hay que viajar ligero de equipaje, y llevarse un vestido de más, en lugar de uno de menos. ¡El vestido que se deja atrás será probablemente el que habría resultado más útil! Con todo, al viajar, es muy importante coordinar el guardarropa y llevarse conjuntos que sean de probada utilidad, y no un jersey o un vestido nuevo que no combina con nada de lo que ya se tiene. Además, es mucho más sensato poner distintos tops y solo una falda o unos pantalones que lo contrario. Si se viaja en avión, con un mínimo equipaje permitido y un recargo astronómico por exceso de equipaje, es vital poder combinar los distintos elementos del guardarropa en distintas formas. Así se crea la ilusión de muchos conjuntos distintos con una cantidad mínima de equipaje.

ESCOTES

Sin duda, la parte que más destaca de un vestido es el escote. De hecho, cuando una mujer está sentada ante la mesa de un restaurante, es la única parte visible de su vestimenta.

Desde el cuello de cisne hasta el top sin tirantes, distintos escotes de toda clase han disfrutado de su momento de gloria en una u otra época a través de la historia de la moda, entre ellos el osado estilo que desnudaba el pecho por completo. La única certeza sobre el futuro de la moda en escotes es que lo que hoy resulta anticuado mañana puede hacer furor.

— Los escotes en forma de V son elegantes solo si son muy profundos, casi hasta la cintura.

— El escote en forma de trapecio, olvidado en los últimos años, sigue siendo uno de los más favorecedores; lo mismo puede decirse de los tops sin tirantes para la noche.

En general, los escotes muy pronunciados resultan más atractivos cuando los llevan mujeres altas y algo redondeadas que mujeres bajitas y delgadas.

Los escotes en forma de V están hechos para bustos muy generosos, a condición de que la V no sea tan profunda que exponga el canalillo. Además, cuando la mujer es más bien baja, la cintura debe ser lo más alta posible para alargar el conjunto de la silueta.

Incluso cuando estaban de moda, los vestidos sin tirantes siempre han favorecido más a las mujeres altas que a las bajas. No hay más que hacer el experimento añadiendo dos tirantes a uno de esos corpiños que carecen de ellos para darse cuenta de que hacen crecer diez centímetros como por arte de magia.

Los escotes asimétricos son muy difíciles de llevar y solo quedan realmente bien en vestidos drapeados al estilo de las túnicas de la Grecia clásica.

El escote de barco es uno de los más femeninos y favorece a casi todas las mujeres. Es el fondo ideal para mostrar unos hombros o una espalda bonitos con omóplatos planos. Pero si se trata de alguien que tiene los omóplatos prominentes, es preferible el escote en V, de modo que solo se descubra la espina dorsal por el centro.

Los cuellos vueltos, suavemente drapeados tanto delante como detrás, constituyen un excelente camuflaje para una espalda redondeada o un busto excesivo.

Los vestidos escotados nunca deberían llevarse en la ciudad durante el día. Incluso cuando aumenta la temperatura, un escote revelador, por muy airoso y refinado que pueda parecer al anochecer, es signo de mal gusto bajo la radiante luz del día e incluso un tanto indecente.

ESTOLAS, CHALES Y PASHMINAS

Son términos prácticamente sinónimos y designan una franja de tela o de piel, más larga que ancha. La estola debe tener la misma longitud que el vestido al que acompaña, mientras que el chal o la pashmina pueden ser mucho más cortos. Los tres accesorios siempre añaden una nota de elegancia al traje, abrigo o vestido y su función es abrigar.

Pueden estar hechos del mismo tejido y color que el vestido, o bien añadir una nota de contraste. A veces van adornados con flecos o pompones (más arriesgado), otras son totalmente lisos.

Las mujeres bajas se equivocan si creen que no pueden llevar estolas. Por el contrario, el efecto vertical es excelente para sus figuras, así como para las mujeres más gruesas, ya que les corta ópticamente la anchura por la mitad.

Las estolas son tan chic con ropa informal como con un atuendo de noche formal y resultan tan prácticas en invierno como en verano. Una estola a juego siempre es una compañera ideal para un vestido de noche largo o corto, y a menudo evita llevar otra prenda de abrigo para la noche.

En resumen, estolas, chales y pashminas poseen innumerables cualidades y ningún defecto. Como ventaja añadida, facilitan los gestos más femeninos y permiten graciosos movimientos de los hombros, que las mujeres románticas pueden explotar haciendo gala de todo su encanto.

ESTRELLAS

Aunque una mujer no aspire a imponer un estilo determinado, el mero hecho de ser guapa y famosa multiplica por veinticuatro los problemas de elegancia de una estrella. Son veinticuatro las horas del día durante las cuales la espían las lentes de los fotógrafos. Esas modernas divinidades no pueden decepcionar al público que las adora revelando una arruga, un kilo de más o menos, o apareciendo con ropa poco atractiva. De modo que la mayoría de ellas se ponen en manos de un diseñador determinado y así limitan su margen de error.

Tanto si lo desean como si no, las estrellas del espectáculo ejercen una importante influencia en la moda, y el auténtico peligro de imitarlas estriba en el hecho de que, a menudo, el ídolo del momento está muy lejos de ser elegante. Podemos afirmar con toda certeza que las adolescentes, gregarias por naturaleza y con un presupuesto limitado, imitan invariablemente solo los estilos más estrafalarios. Aunque las jóvenes famosas que lanzan una moda pasajera pueden ser una provechosa fuente de ideas para los estilistas de los grandes almacenes, la mujer media debe evitar esas imitaciones porque nueve de cada diez veces se alejará de sus objetivos y logrará lo contrario. Además, la auténtica elegancia nunca es pasajera.

FALDAS

La falda es la favorita del presupuesto limitado y uno de los mayores triunfos de la industria del *prêt-à-porter*; puede llevarse con un jersey o una blusa un día sí y otro no, de un extremo del año al otro y casi en todas partes, excepto por las calles de la ciudad, a menos que vaya cubierta por un abrigo. Toda mujer debería poseer al menos una falda de lana negra, una de tweed y otra de una tela como el lino.

— Falda recta. Indispensable con chaqueta larga, es la que más favorece a las mujeres de caderas estrechas y muslos esbeltos.

— Falda acampanada (al bies). Favorece a cualquier figura, sobre todo si el trasero es prominente; requiere una chaqueta corta.

— Falda plisada. La más grácil de movimiento es la plisada en abanico o acordeón, pero la cintura debe ser muy estrecha; la tableada es la que más ensancha las caderas.

— Faldas amplias fruncidas. Cuanto más delgada sea la cintura, más bonito es el efecto. No quedan bien con una chaqueta, pero sí con un cinturón ceñido de banda ancha.

— Faldas cruzadas. Fáciles de ponerse y de doblar, pero en realidad no tan prácticas.

— Faldas pantalón. Elegantes solo como parte de un conjunto de tiro o de bolos.

— Faldas largas de noche. Olvidadas en los últimos años, empiezan a recobrar el prestigio que tuvieron en los años treinta, y una vez más, tienden a convertirse en el atuendo ideal para recibir una noche en casa.

Cuando haya descubierto la falda que más le favorece, es una buena idea mantenerse fiel a ella, aun cuando eso signifique tener un modelo idéntico en distintos tejidos.

Con varias faldas, blusas, jerséis y una colección de cinturones, es posible vestirse de manera atractiva y dar la impresión de poseer un guardarropa muy amplio, todo con una inversión mínima.

FIGURA

Reducida a su forma más simple, la figura femenina es una I o una O, o cualquiera de sus infinitas fases intermedias.

No suele haber problemas de moda si se tiene una figura en forma de I, pero muchísimos con una figura en O.

Por supuesto, si usted es una I mayúscula, con una estatura de más de un metro setenta y cinco, por ejemplo, y no pesa más de sesenta y siete kilos, encontrará algunos problemas. Pero si bien debe evitar los tacones muy altos y las rayas verticales, puede permitirse los placeres siguientes:

— cabello largo,
— pantalones,
— faldas estrechas,
— vestidos tubo ceñidos,
— capas enormes,
— cuellos amplios,
— sombreros grandes.

En síntesis, todo lo más excéntrico entre las últimas tendencias. Lo único que tiene que hacer es encontrar un hombre de su talla y será la más feliz de las mujeres.

Debo admitir que, por desgracia, soy como la mayoría de las mujeres, exactamente a mitad de camino entre la I y la O. Digamos que con mi metro cincuenta y dos de estatura y mis cincuenta y ocho kilos, y unas caderas que prefiero no medir, soy más bien así:

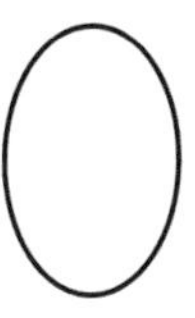

De modo que tendría un triste aspecto con las prendas descritas más arriba que son, si la suerte me las hubiera permitido, las que más me gustan. Y aunque sé que me equivoco, pese a todo no resisto la tentación de:

— Los pantalones. ¿Cómo se puede vivir sin ellos aun sabiendo que no favorecen? No obstante, no deben ser muy estrechos, aunque eso signifique comprarse una talla más y estrecharles la cintura y acortar el dobladillo. Con jerséis, casacas o blusones lo suficientemente largos para ocultar el trasero, tal vez no sean el conjunto ideal para una figura rechoncha, pero al menos son presentables.

— Los abrigos anchos. A condición de que sean estrechos y sin adornos en la parte superior y que se ensanchen abajo, *évasés*.

Pero me prohíbo absolutamente todo el resto:

— faldas estrechas (mejor llevarlas ligeramente acampanadas),

— abrigos de hombros anchos con cuellos grandes,

— rayas horizontales,

— vestidos sueltos,

— chales con faldas cortas,

— zapatos planos con faldas estrechas,

— túnicas,

— vestidos de chifón vaporoso,

— estampados grandes,

— satenes brillantes.

El estilo más favorecedor de todos para las tallas medias y las mujeres gruesas es la línea de trapecio con hombros estrechos, que se acampana suavemente desde debajo del pecho, deslizándose sobre la cintura sin acentuarla e ignorando por completo las caderas. El tejido de las prendas confeccionadas con esta línea debe tener cuerpo para mantener la forma.

No hay razón para temer:

— los tejidos de lana gruesa, que no engordan si no son blandos ni ceñidos,
— el escote barco o alto y redondo, que dan más altura a la figura,
— las faldas anchas y acampanadas, que disimulan el trasero; e incluso las faldas plisadas, por la misma razón,
— los talles altos estilo imperio o de «corte princesa».

Y son dignos de adoración:

— los abrigos, vestidos-abrigo y capas,
— los chales, bufandas o estolas y todas las líneas verticales,
— los vestidos largos y acampanados o ligeramente *évasés*.

Eso debería bastar para las figuras como la mía, de modo que ahora pasaremos a las figuras en forma de O. Hay que admitir que aquí la libertad de opción se reduce algo más. Consideremos primero las figuras que son más anchas en la parte superior que en la inferior, y que podrían representarse así:

Probablemente será más breve enumerar lo que deberían llevar y no preocuparse por recordar lo que deberían evitar:

— escotes en forma de V,

— vestidos abotonados delante y abrigos y trajes de pechera lisa sin cruzar,

— cuerpos drapeados (que tienden a dividir y reducir el tamaño del busto, como las botonaduras delanteras),

— faldas rectas,

— abrigos rectos,

— trajes a medida con cuello y solapas,

— crepés y otros materiales suaves,

— por último, si la parte inferior de la figura es realmente esbelta, pantalones con blusas independientes. El principio general es ocultar lo más generoso y acentuar la parte más delgada de la figura.

Si, por el contrario, la parte superior del cuerpo es más esbelta, en una figura así:

todo se vuelve realmente mucho más sencillo y el problema es similar al de las mujeres gruesas (o incluso al de las embarazadas), para quienes las líneas en forma de trapecio y el corte estilo imperio son idóneos.

Lo más importante es darse cuenta exactamente de cuáles son las proporciones físicas, resistirse a los estilos que favorecen menos y elegir siempre lo que más favorece a esa forma en concreto, sobre todo cuando la moda del momento no va con la figura. En este caso, hay que mantenerse firme y recordar que elegancia no es necesariamente sinónimo de moda.

FINES DE SEMANA

Tras cinco ajetreados días de jornadas laborales interminables, un número cada vez mayor de habitantes de la ciudad huyen al campo para llenarse los pulmones de aire fresco durante cuarenta y ocho horas. Como resultado, ha surgido toda una industria en torno al ocio y las actividades al aire libre. De hecho, nunca antes se había vendido tanta ropa deportiva.

El atuendo ideal para una mujer elegante que pasa el fin de semana en el campo con amigos consiste en: un traje, zapatos planos (o botas, en invierno) y un bonito bolso estilo viaje.

En invierno, primavera y otoño, resulta ideal un traje de tweed grueso de mezclilla con un jersey que haga juego, que puede cubrirse con un impermeable o abrigo deportivo. En verano, será de tejido de lino o algodón de color vivo y puede ir acompañado de una blusa, sandalias y un bolso de paja.

La bolsa de viaje debe contener:

— una bata sencilla que no sea transparente ni voluminosa, sino bonita y de aspecto fresco para el desayuno, que probablemente todo el mundo tomará a la vez en el comedor,

— un par de pantalones, un jersey o una blusa,

— en verano: un traje de baño y un vestido de tirantes o solera,

— para la noche: traje pantalón, si pasa la velada informalmente en casa con amigos,

— un vestido de noche largo, algo escotado, si la anfitriona lleva una vida social más formal o si va a haber una cena el sábado por la noche; pero si el programa del fin de semana incluye un cóctel informal con cena de bufet, un atuendo más adecuado en invierno será un sencillo vestido de punto blanco con escote barco o un vestido tubo de lana sin mangas de color claro; en verano un vestido del mismo tipo pero de algodón o lino estampados.

Si la invitan a participar en cualquier tipo de deporte activo, habrá que acordarse de llevar el atuendo apropiado. Nada es más fastidioso para la anfitriona del fin de semana que tener que aparecer en el club con una amiga mal vestida, o verse obligada a prestarle una falda blanca de tenis, unas botas de montar o un par de zapatos apropiados para caminar a la poco previsora invitada, equipada solo con unos zapatos de salón de tacón de aguja que no resistirían más allá del porche.

En resumen, cuando una mujer no es deportiva ni amante del aire libre de corazón, al menos debería vestirse de acuerdo con ese papel cuando sale de fin de semana al campo, y por supuesto, dejar sus pestañas postizas en la ciudad.

FOTOGRAFÍA

No conozco a una sola mujer que haya pensado que ha quedado mejor que nunca en una fotografía instantánea hecha por un aficionado. Sin embargo, a menudo es culpa suya, porque con la idea de ser natural y deportiva, no ha querido posar como una modelo profesional.

Aunque no es aconsejable adoptar las poses que los fotógrafos de moda están obligados a inventar para producir reportajes impactantes y originales, se debería tener en cuenta que:

— hay que mantenerse erguida con las puntas de los pies hacia fuera, con una pierna un poco adelantada y el cuerpo vuelto ligeramente de lado para que la cámara capte una vista de tres cuartos,

— a menos que se sea muy joven, siempre se debe sonreír al fotógrafo; de lo contrario, las arrugas de expresión en torno a la boca podrían hacer que se parezca desagradable y cansada,

— siempre deben quitarse las gafas de sol en una fotografía de exterior, y no mirar nunca directamente hacia el sol,

— si se fotografía a una mujer tumbada en una playa o en la cubierta de un barco, saldrá más favorecida si se apoya en una cadera y un codo y presenta el cuerpo de perfil, que si se queda echada y plana como una tortilla,

— la posición que suele recomendarse para las manos —ligeramente cruzadas en el regazo— siempre parece demasiado rígida. Si no se sabe qué hacer con ellas, se pueden situar detrás de la espalda, pero nunca en las caderas,

— es mejor que la cámara la enfoque desde abajo, y no desde arriba, lo que siempre tiene el efecto de acortar la figura,

— las fotografías de grupo, en las que una hilera de pasmarotes miran con sonrisas heladas al pajarito de la cámara siempre resultan un tanto cómicas,

— si la mujer es una destacada celebridad y la fotografían para los periódicos, no debe dudar en insistir para mostrar solo su mejor perfil. Puede estar segura de que la estrella de cine «sorprendida» por los fotógrafos durante sus compras ha posado cuidadosamente al menos cinco o seis veces para cada fotografía, ¡y al final resulta muy natural! Es mucho mejor hacer un poco el ridículo ante un puñado de gente durante cinco o diez minutos que ante los cientos de miles de lectores de periódicos a la mañana siguiente.

El álbum familiar constituye una tradición encantadora, pero a veces puede ser muy embarazoso. Siga mi consejo y reedítelos cada diez años o poco más o menos.

Por último, para un retrato fotográfico, hay que llevar el vestido y las joyas más clásicos que se tengan e incluso intentar que la ropa no se vea demasiado porque, de lo contrario, quedará anticuado en un abrir y cerrar de ojos; y hay que asegurarse de que el peinado también sea sencillo por la misma razón.

FUNERALES

Una mujer que asiste a un funeral vestida de forma ostentosa muestra una falta total de buen gusto y buenos modales. Aun cuando no forme parte de la familia más próxima, debe vestirse de negro, o al menos, del tono más oscuro y neutro que encuentre en el armario, y no debería llevar joyas. En el transcurso de un año, es probable que tenga que acudir a algún funeral. Conviene estar preparada para esta eventualidad al proveer su armario.

La mejor opción, aparte de un traje negro de lana en invierno y de lino en verano, es un conjunto de franela gris, que se combina igualmente bien con un sombrero negro, guantes, zapatos y bolso negro.

GAFAS

Muy pocas veces ocurre que unas gafas favorezcan un rostro, y si es necesario llevarlas, como nos sucede a tantas mujeres, se deberían elegir con la mayor discreción y buen gusto.

Según la forma del rostro, las gafas tendrán que ser ligeramente rectangulares, redondeadas u ovaladas. El único modo de juzgar qué forma favorece más es probarse un par tras otro, mirándose de frente y de perfil en el espejo. Las gafas pueden tener montura de concha o de metal. Pero es ridículo darse un aire diabólico eligiendo el estilo arlequín, a menos que la curva hacia arriba quede apenas insinuada y el tamaño guarde proporción con los rasgos.

Todo tipo de ornamentación debe rechazarse radicalmente, sobre todo el estrás, los cortes en forma de mariposa y otros caprichos similares, porque resultan bastante vulgares, aunque estén hechos con diamantes auténticos.

Tampoco resulta muy atractivo disfrazarse como una famosa estrella de cine que viaja de incógnito ocultándose tras enormes gafas ahumadas. Las únicas justificaciones aceptables para llevar gafas de sol son que haga un sol deslumbrante, que los ojos estén enrojecidos por el llanto o por una noche de juerga, o bien que la persona tenga unos ojos tan pequeños y feos que esté empeñada en ocultarlos. Resulta muy desagradable hablar con alguien tras una puerta cerrada, y esa es exactamente la impresión que produce una persona con medio rostro cubierto por unas gafas oscuras.

GANGAS

Rara vez es posible reconocer una ganga en el momento de comprarla, porque el auténtico precio de una prenda no es necesariamente la cantidad marcada en la etiqueta. Para hacerse una idea de lo que cuesta en realidad, habría que coger ese precio y dividirlo por el número de veces que se utiliza la prenda en cuestión, y entonces conceder generosos puntos al placer, la autoestima y la elegancia que puedan proporcionarnos. Un vestido marcado a la mitad de su precio y que solo llevamos una vez es una pura extravagancia, mientras que un vestido hecho a medida que cuesta seis veces más pero lo llevamos con gusto un día sí y otro no durante ocho meses a lo largo de varios años ¡es una auténtica ganga!

No hay unas reglas específicas para guiar a una mujer en busca de gangas, pero la experiencia personal me ha enseñado que el amor a primera vista suele tener más éxito que el matrimonio de conveniencia. En todo caso, cada vez que he comprado algo porque me parecía una adquisición sensata, lo he llevado muy poco; mientras que mis impulsos más irresistibles, que en el momento parecían una locura, los he amortizado, en general, muy pronto.

Por citar unos pocos ejemplos concretos, he llevado durante años y años, y en algunos casos sigo llevando:

— un bolso beige con brocados de terciopelo de Roberta, comprado en Capri hace seis años (ahora está un poco gastado, pero es insustituible),

— un chal de lana negra con forro de tafetán, que encontré en Balenciaga hace diez años y aún me encanta,

— un abrigo de tafetán negro confeccionado por Crahay en su salón de Lieja y que he llevado a cócteles y cenas desde entonces.

Y por otra parte, he usado muy poco o he obtenido escasa satisfacción de algunas de mis compras más «sensatas», por ejemplo:

— un abrigo negro clásico de caracul, que los arreglos anuales nunca han logrado animar ni hacer más chic,

— un conjunto de zorros azulados, que compré rebajados por una bicoca y que quedaron olvidados en mi armario durante años hasta que al final decidí usarlos para ribetear las capuchas de varias parkas de esquiar,

— al menos cien pares de bonitos zapatos baratos que me hacen daño en los pies,

— un cuellecito de visón blanco que no combina con nada,

— un conjunto corto de noche de satén azul cielo (lo he llevado dos veces),

— cantidades de bolsos baratos e innumerables artículos que preferiría olvidar. Todos tienen un punto en común: los compré con ánimo de ser práctica, sin el más mínimo entusiasmo.

GESTOS Y DETALLES

Del mismo modo que ciertas prendas pueden arruinar el aspecto de una mujer, hay ciertos rasgos de carácter que rompen el efecto del conjunto compuesto con el máximo gusto.

Para empezar con las prendas traidoras, habría que evitar siempre:

— Las faldas largas y estrechas. La visión de una modelo dando saltos precarios por la pasarela siempre inspira mal disimuladas sonrisas. Podemos imaginar las risitas de los amigos al ver cómo nos movemos por sus salones con pasitos cautelosos y afectados.

— Mangas demasiado anchas que lo barren todo al pasar: o mangas tan estrechas que hagan imposible levantar los brazos para arreglarse el pelo o quitarse el sombrero.

— Faldas tan estrechas que haya que tirar de ellas hasta los muslos para subir a un autobús; y faldas que se levantan al andar como si las activara un extraño y diabólico mecanismo. (Conclusión: hay que probar a moverse y sentarse con la ropa antes de comprarla.)

Todo lo que acabo de enumerar debería prohibirse terminantemente del guardarropa si se desea ser tan elegante en acción como en reposo.

¿Debo ir más allá y mencionar esos ademanes antiestéticos que aniquilan enseguida la imagen que se haya podido crear vistiéndose bien? Estoy segura de que difícilmente alguien se dejará llevar hasta tales extremos, pero... Sin duda habremos observado alguna vez a una mujer destruyendo su elegancia con los siguientes gestos:

— explorarse la boca con un dedo para recuperar algún pequeño cuerpo extraño,
— rascarse la cabeza,
— arreglarse la faja,
— subirse los tirantes del sujetador,
— examinar cuidadosamente la condición de su cutis o dientes en su espejo de mano,
— morderse las uñas,
— poner las puntas de los pies hacia dentro estando de pie o al andar,
— sentarse con las piernas abiertas,
— peinarse en la mesa,
— hablar demasiado alto en un lugar público.

Todos esos detalles pueden destruir una preciosa impresión. El encanto y la gracia son los fundamentos de la elegancia y se componen de gestos gráciles y movimientos contenidos que se desarrollan y adquieren desde la primera infancia.

Sin embargo, también resulta poco atractivo irse al extremo opuesto, como por ejemplo:

— mantenerse rígida como un palo por temor a arrugarse el vestido,

— levantarse el abrigo o subirse la falda al ir a sentarse,

— hacer gráciles gestos con los brazos como una bailarina balinesa,

— pasarse el tiempo admirando la propia imagen en los espejos,

— representar un papel, con gestos estudiados y perfeccionados por la práctica (aun cuando tal vez parecieran encantadores la primera vez).

Una completa falta de espontaneidad en una mujer es sumamente irritante, y al final, resulta tan negativa para la elegancia como la conducta indisciplinada de una marimacho.

GUANTES

Los guantes constituyen uno de los complementos más discretos que existen. Como los bolsos de cuero y los zapatos, los mejores guantes son los de tonos neutros, y los más elegantes, los de cabritilla satinada. Pueden llevarse incluso en los climas más fríos si están forrados de seda. El ante y la gamuza pueden constituir una segunda opción, pero son mucho más frágiles y hay que reemplazarlos con mayor frecuencia. Por último, el nailon es el más práctico y resulta incluso muy chic si el acabado es muy bueno y el tejido es grueso y no brilla.

En cualquier caso, los guantes deben ajustarse perfectamente a las manos y ser de la longitud adecuada. Como los de cuero incluyen cuartos de talla y los de tela medias tallas, siempre en varios largos, con un poco de paciencia se podrá encontrar la medida exacta.

Los guantes no deberían tener ningún adorno. Con un vestido de noche, los negros y largos son los más elegantes.

La etiqueta de los guantes no es tan complicada como algunas mujeres creen. En general, pueden llevarse siempre en la calle pero nunca en el interior, excepto en el teatro, en una recepción formal o en un baile. Siempre deben quitarse para comer, aunque solo se trate de los canapés de un cóctel. Pero una señora nunca se quita los guantes para estrechar la mano (a menos, por supuesto, de que se trate de guantes de jardinería sucios o de montar) y, además, nunca necesita disculparse por dejárselos puestos.

En conclusión, los guantes son un accesorio relativamente caro que requiere un estilo clásico, una calidad excelente y un aspecto nuevo e inmaculado. Pueden intensificar de manera considerable la elegancia de un conjunto, pero también arruinarla por completo si se tiene la desafortunada inspiración de comprarse un par de encaje y ganchillo o de nailon transparente.

HÁNDICAPS

Algunas mujeres se desmoralizan por varias características físicas, como por ejemplo:

— Ser demasiado alta: en estos tiempos, hay que ser casi una giganta para ser considerada excesivamente alta, porque las mujeres así están de moda y las nuevas generaciones cada vez tienen más altura en todo el mundo. Creo que será un consuelo leer la sección «Figura». Las mujeres altas deben desarrollar el aspecto atlético de mujer al aire libre de su naturaleza y ser buenas deportistas. Todo el mundo las buscará por su sencillez.

— Ser demasiado baja: muchos hombres adoran a las mujeres con aspecto de muñequitas, así que se puede acentuar ese aire de «pajarillo caído del nido». Es un acierto ser delicada, sumamente cuidadosa en el arreglo personal, atolondrada, bondadosa y vulnerable. Y cuando se envejece, ser una adorable dama siempre arrimándose a algo para mantenerse caliente. Los hombres querrán proteger a esa mujer toda su vida y ella siempre se ahorrará las agotadoras tareas que sus hermanas más altas tendrán que afrontar solas.

— Ser intensamente pelirroja y pecosa de nacimiento: la verdad es que el pelo rojo flameante es muy atractivo y constituye más una ventaja que un hándicap. El único punto negativo puede ser privarse del placer de llevar ciertos tonos de rojo y rosa, y abstenerse por completo de tomar el sol. Por supuesto, si se detesta este color de cabello, siempre se puede teñir de otro tono.

— Tener el pecho grande: un pecho muy grande supone, desde luego, un hándicap para vestirse a la moda de hoy en día. Si una mujer puede soportar su aspecto con un jersey, debe llevar encima una chaqueta desabrochada, que tenderá a cortar la amplitud de la línea del busto, al igual que los chales y estolas. Si el volumen pectoral resulta una auténtica pesadilla, se puede ahorrar para una operación de cirugía estética. Personalmente, si tuviera que escoger entre operarme una nariz fea y un pecho excesivo, corregiría este último sin la menor duda.

Cuando alguien tiene una hermana gemela, mi consejo más ferviente es que, en cuanto tenga edad suficiente para comprarse la ropa, jamás se vista con ropa igual a la suya.

Y por último, muchas mujeres desarrollan complejos por lo que supuestamente son defectos, aunque existan solo en su imaginación. Cuando oigo a una mujer quejarse de que tiene las caderas demasiado estrechas, por ejemplo, a veces siento no podérselas cambiar por las mías. ¡Enseguida descubriría cómo se multiplicaban sus problemas!

Aunque la naturaleza haya sido más bien tacaña con una mujer en sus dones, es inútil lamentarse por lo que no se ha recibido. En lugar de ello, es preferible ejercitar el ingenio para destacar los mejores rasgos y camuflar los demás.

La elegancia es tan solo una cuestión de optimismo y buen humor.

HIJAS

Las hijas pequeñas son lógicamente el orgullo y la alegría de sus madres, pero a menudo son también, por desgracia, el reflejo de su falta de elegancia. Cuando vean a una pobre niña permanentada, emperifollada y con un bolsito, un paraguas y pendientes, o con zapatos de suela de crepé y un vestido de terciopelo, pueden estar seguras de que su madre no tiene ni pizca de gusto.

Ser educada de ese modo constituye un serio hándicap y una niña tiene que poseer una fuerte personalidad para poder liberarse de las malas costumbres que le hayan inculcado en sus primeros años. En cambio, si una madre enseña a su hija desde el principio a cuidar y arreglar su aspecto, lavarse las manos, peinarse, y por ejemplo, solo le permite sentarse a la mesa si está convenientemente aseada, es muy improbable que pierda esas excelentes costumbres.

Cuanto más sencillamente se vista una niña —jerséis y faldas en invierno, vestidos de algodón estilo imperio en verano—, más chic estará. La longitud correcta para la falda de una niña es de cinco centímetros por encima de la rodilla y no hay nada más vulgar que una falda demasiado corta, ni nada más falto de gracia que una demasiado larga. Hasta los cinco o seis años, los colores pastel son preferibles a los más vivos.

Cuando es un poco mayor, su vestuario de colegio puede basarse en azul marino y telas escocesas con fondo azul marino, siempre con blusas y jerséis a juego o contrastando. Para las fiestas y ocasiones especiales como una boda, puede llevar en invierno un vestido de terciopelo negro con un amplio cuello de encaje blanco, calcetines blancos y manoletinas planas de cuerpo negro. En verano, estará monísima con vestidos de algodón de cintura alta con estampados de flores liberty y de encaje blanco o vainica ciega para las fiestas. Para la playa, un gorrito de piqué blanco, bañador entero, sandalias blancas y siempre a mano una chaqueta de punto del mismo color que el bañador.

Algunas caritas quedan muy monas rodeadas de pelo liso y largo o con una cola de caballo, o incluso con un moño sobre la cabeza. Pero el pelo rizado natural suele ser más bonito corto.

Nunca es demasiado pronto para aprender que la discreción y la sencillez son la base de la elegancia.

HOMBRES

El aspecto es tan importante para un hombre como para una mujer. Unos diplomas impresionantes y una gran responsabilidad no son excusas para no tener un buen sastre, y solo los millonarios y los genios pueden permitirse ir mal vestidos.

Dado que la elegancia masculina es sinónimo de conservadurismo, un hombre nunca debe llevar:

— trajes a rayas chillones,

— camisas de tonos demasiado llamativos,

— joyas, incluidas pulseras de metal en un reloj (solo es adecuado durante el día),

— pantalones demasiado estrechos, aunque estén de moda, o demasiado anchos. El mismo principio se aplica a los sombreros, solapas del abrigo, anchura de parka o gabardina, etc.,

— una corbata de lunares con una chaqueta a rayas o a cuadros,

— un pañuelo que flote, literalmente, en el bolsillo o a juego con la corbata,

— zapatos de ante en la ciudad, o una gorra de tela; ambos complementos se reservan para el campo junto con sus compañeros, la chaqueta de tweed y los pantalones de pana,

— en la playa: camisas estampadas o pantalones muy cortos (si sobrepasa los veinte años). La orilla del mar es el único lugar donde un hombre puede llevar sandalias o alpargatas.

Un hombre debe cuidar su aspecto como una mujer, llevar las uñas cortas y pulidas pero sin esmalte; la barba afeitada tantas veces al día como sea necesario. Y debe oler bien solo desde muy cerca. No debería llevar el pelo demasiado largo en la nuca, ni colgarle sobre el cuello de la ropa; la camisa ha de estar inmaculada, los pantalones con la raya bien marcada, la chaqueta sin arrugas y los zapatos bien lustrados. Nunca debe hablar demasiado alto en público, por mucho éxito que tenga, y debe estar acostumbrado a hacer el imperceptible gesto internacional para pedir la cuenta, y pagarla con discreción. Es de mal gusto que dé toquecitos a su cigarrillo para hacer caer la ceniza y, por supuesto, debe tirarlo inmediatamente en cuanto se pare a hablar con alguien en la calle.

Los hombres mejor vestidos del mundo son los británicos y los italianos, y en todos los países existen hoy sastres que confeccionan trajes a medida inspirándose en esos dos estilos. Pero ¡cuidado! A una mujer puede perdonársele a veces ser demasiado elegante en su vestuario, pero un hombre que parece seguir demasiado la moda resulta insoportable. Elegante, sí, ¡petimetre, no! (véase la sección «Sexo»).

IR DE COMPRAS

Ir a comprar proporciona las mismas alegrías en la ciudad que ir de caza en el campo. En ambos casos, la cazadora se lleva envuelto el objeto o el animal de sus sueños.

Sin duda los grandes almacenes, sobre todo en Londres o Nueva York, es el lugar donde una mujer puede encontrar la más amplia gama de opciones en ropa y complementos de todos los precios y procedentes de todos los países del mundo. No hay más que pasar un día en Harvey Nichols, Bergdorf Goodman, Saks de la Quinta Avenida o Macy's para adquirir un guardarropa completo según las necesidades de cada cual.

JERSÉIS

Hoy en día se hacen tantos jerséis bonitos que una mujer podría ir ataviada con elegancia de la mañana a la medianoche con un guardarropa compuesto exclusivamente de distintos jerséis y faldas. Pocas mujeres resisten la tentación de ponerse un suéter suave, de un tono seductor, y cuánta razón tienen (a menos que estén dotadas con un busto demasiado grande), porque les brinda una forma económica de renovar su guardarropa. Además, un bonito jersey es siempre más elegante que un vestido insulso.

Pero no se ha de abusar de esta prenda tan útil. Se debe tener en cuenta, en particular, que un jersey también puede ser contrario a la elegancia si se olvida respetar las siguientes reglas:

— Solo los jerséis de cachemir o seda (o tejidos sintéticos similares) de colores lisos son elegantes para la ciudad.

— El escote abierto en forma de V de un jersey siempre debería llenarse con un pañuelo, excepto cuando se lleve sobre una blusa u otro jersey.

— Durante el día, solo un tipo de bordado o aplicaciones resulta chic: los adornos naïf o de tipo tirolés en las chaquetas de deportes invernales.

— Los jerséis de punto grueso, de canalé, de ochos, dibujos de jacquard y toda clase de diseños excéntricos deben llevarse preferiblemente con pantalones.

JOYAS

Las joyas son el único elemento de un conjunto cuyo único objetivo es la elegancia, y la elegancia en joyas es una cuestión muy subjetiva. Por tanto, es imposible decir que solo habría que llevar una clase de joyas en concreto para personalizar o para añadir distinción a un conjunto determinado. Pero una cosa está clara: una mujer elegante, aunque le entusiasmen las joyas tanto como a mí, nunca debería sucumbir a su inclinación hasta el punto de parecer un árbol de Navidad cargado de ornamentos.

Durante el día, lo máximo que se puede llevar es un anillo en cada mano (en el dedo anular o el meñique, nunca en los otros; el anillo de boda o de compromiso se cuentan como uno), un reloj de pulsera, una sarta de perlas o cuentas, y si el vestido es sencillo y sin adornos, un broche o clip. Siempre se puede poner un broche en el cuello o en el hombro de un abrigo o un traje, pero si se lleva collar, habrá que ponérselo por dentro, y no por fuera de la chaqueta, y solo deberá verse en el escote.

Si se lleva un broche, anillo, reloj y collar, más vale que no se añadan además pendientes, a menos que sean simples clips y no colgantes. Por otra parte, no se recomienda llevar pendientes colgantes y collar a la vez, porque la combinación atrae la atención hacia la parte inferior de la cara, y tiende a ensanchar y acortar. Por la misma razón, suele favorecer más colocar un broche o un alfiler lejos del rostro, si es que ya se lleva collar y pendientes.

Las pulseras de oro grueso con bonitos adornos, amuletos o piedras semipreciosas son divertidas y chic, siempre que se prescinda de todas las demás joyas.

Por la noche, si se lleva un conjunto de vestir, se debería dejar el reloj de pulsera en el cajón superior de la cómoda hasta la mañana siguiente, a menos que quede oculto en una pulsera de brillantes, que no está precisamente de moda. Ni que decir tiene que nunca hay que llevar pulseras sobre guantes largos de noche. Aunque algunas princesas y reinas rompan con frecuencia esa regla, solo demuestra que el protocolo real no siempre es compatible con la elegancia.

En general, las joyas de oro solamente no resultan muy elegantes de noche, y nunca habría que llevar oro al mismo tiempo que gemas engarzadas en platino. Hay joyas muy bonitas con piedras preciosas engarzadas en oro —una combinación de turquesa, zafiro y oro, por ejemplo, o perlas montadas en oro combinadas con diamantes y esmeraldas—, pero no pueden llevarse al mismo tiempo que las de platino.

Un vestido de noche muy formal, que no esté bordado ni lleve pedrería, permite un broche, collar, pendientes, anillos y pulseras, incluso una tiara, si todo hace juego.

Si las joyas son de hace mucho tiempo, tal vez sea necesario volver a montarlas, ya que la mayor parte de ellas (excepto los solitarios y las perlas) pasan de moda cada veinte años. Sin embargo, si alguien ha tenido la suerte de heredar la colección de su abuela, esta habrá adquirido, como los muebles antiguos, considerable valor y chic, y puede llevar esas joyas en su forma original con el máximo gusto y elegancia.

En aquellos tiempos, ciertas piedras, como las amatistas, cornalinas, topacios, camafeos y peridotos, se utilizaban mucho más a menudo que hoy; tal vez por ello tales gemas quedan mucho más chic con una montura antigua. La excepción serían los circonios. Esas piedras tan brillantes, que se usaban en la era victoriana como sustituto de los diamantes, pueden clasificarse como «imitaciones», y por esa razón no pertenecen a un guardarropa realmente elegante.

Ir de viaje con las joyas constituye un problema. Es una imprudencia y una falta de modestia exhibir un impresionante despliegue de joyas cuando se viaja. Además, la cajita de terciopelo al fondo del bolso de mano de una mujer es el sueño de todo ladrón y la pesadilla de los hombres de seguros. Es aconsejable llevar de viaje únicamente unas pocas joyas auténticas y depositar el resto de sus tesoros en una caja de seguridad del banco. Si el objetivo de su viaje es pasar una semana en el campo, entonces no hay motivo para sentir ansiedad, pues allí es de buen gusto prescindir por completo de las joyas.

El precio y el tamaño de una gema no siempre da la medida de su belleza, excepto en el caso de un solitario o una sarta de perlas. Una sencilla joya montada de un modo exquisito y original es mucho más elegante que un racimo de enormes diamantes unidos de forma prosaica para dar la impresión de riqueza.

Las combinaciones de piedras están muy de moda y, en mi opinión, las más chic son los diamantes amarillos, los zafiros y las esmeraldas, así como las turquesas con diamantes. En un estilo menos formal, el coral es un elemento maravilloso que queda muy bien con muchos otros materiales preciosos, como perlas, jade blanco, turquesa e incluso diamantes.

Por lo que respecta a los diseñadores de joyas, hay muchas ventajas en tratar con los mejores. Aunque haya que pagar un veinte por ciento más, justo es reconocer que abrir un estuche de Cartier, Van Cleef & Arpels o Tiffany ofrece el veinte por ciento más de emoción que recibir un estuche de la joyería de la esquina. Y un marido ocupado y despistado tiene muchas más posibilidades de comprar algo de buen gusto en uno de sus establecimientos.

Un anillo de compromiso es a menudo la única joya auténtica que posee toda mujer. Por eso, permítanme decirlo bien claro, no debería ser demasiado modesto —digamos que no inferior a tres quilates—, porque un diamante diminuto ahogado en un mar de platino resulta conmovedor, pero también un tanto patético. Es infinitamente mejor elegir un anillo de compromiso engastado con pequeños brillantes y zafiros, por ejemplo, bien diseñados y de tamaño respetable; eso no arruinará a un joven marido al inicio de su vida matrimonial. Otra fórmula consiste en eliminar el anillo de compromiso convencional para invertir en una de esas alianzas de baguetes de brillantes (de doble vía). La orgullosa y feliz novia podrá satisfacer su amor por las gemas comprando…

Bisutería, o las joyas de fantasía. En primer lugar, un excelente collar de perlas cultivadas o de imitación. Y eso es todo en cuanto a piezas de «imitación». Porque nada es menos chic, menos atractivo y comparativamente más caro que una joya de imitación con la pretensión de pasar por auténtica. Pertenece a la misma categoría que un abrigo de piel sintética que imita al visón; ambos son ofensas imperdonables contra la elegancia.

Pero la bisutería de diseño suele ser encantadora y muy chic y puede añadir una nota elegante a un conjunto. Los diseñadores presentan una nueva colección de bisutería a juego cada temporada y algunas de las mujeres más ricas del mundo disfrutan comprando y llevando esas gemas de fantasía.

Los collares (sobre todo de colores brillantes o de cuentas blancas para el verano), pendientes y broches tienen mucho éxito; los brazaletes algo menos, y los anillos, ninguno.

Esta clase de joyas debería elegirse con cuidado, y por regla general, solo debería llevarse una a la vez. Todos esos adornos tienen la ventaja de ser efímeros; pueden seleccionarse especialmente para completar un determinado atuendo y llevarse sin problemas cuando se va de viaje, e incluso conferir un nuevo encanto o una nota exótica al aspecto de una mujer. No obstante, quedan reservados para mujeres femeninas y sofisticadas, ya que el tipo de mujer que viste tweed y tiene un aire rústico o deportivo rara vez los lleva con el estilo necesario.

Solo hay una pieza de joyería que favorece a todo el mundo, que queda bien con cualquier conjunto, que resulta adecuada casi en cualquier ocasión y es indispensable en el guardarropa de toda mujer… ¡larga vida al collar de perlas, verdadero o falso, desde nuestra primera cita hasta nuestro último aliento! (véanse las secciones «Anillos», «Collares» y «Pendientes»).

LENCERÍA O ROPA INTERIOR

El número de prendas de ropa interior de una mujer moderna ha disminuido considerablemente desde principios del siglo XX. En el pasado la mujer usaba sostén, camisa, corsé, un par de pantaloncitos y unas bragas, pero ahora ha llegado al punto en que solo lleva sujetador y bragas.

La edad y la posición social no ejercen la menor influencia en este ámbito. De hecho, las mujeres más elegantes son las que llevan menos lencería, pues todos sus trajes están forrados de seda y muchos de sus vestidos de fiesta llevan sujetador incorporado. Pero en todas las gamas de precios existen conjuntos en colores vivos o pastel e incluso estampados que hacen el aspecto interior mucho más atractivo.

Las mujeres cometen un error al olvidar este potencial añadido a sus encantos. Aunque ciertamente no aconsejo dejarse llevar por estilos de lencería más adecuada para bailarinas de *estrip-tease*, sigue siendo una ventaja para la mujer dedicar tanto tiempo a pensar en desvestirse como en vestirse. Una amiga me recuerda que una vez le confié mi preocupación porque mi hija no se interesaba en absoluto por la ropa interior bonita. Su respuesta fue que no debía preocuparme ¡hasta el día en que empezara a interesarse por el tema!

Se han hecho maravillosos progresos en ropa interior durante los últimos años. Se acabaron las torturadoras ballenas, los tejidos de goma o caucho ciñendo afectuosamente la cintura. Las fibras milagrosas como la lycra o el nailon sujetan las curvas con la misma devoción, pero sin tantos inconvenientes.

Aunque la ropa interior femenina pueda reducirse a dos piezas, al menos deberían combinar. El colmo del mal gusto es llevar un sujetador blanco con bragas negras, o a la inversa. La ropa interior de colores vivos tiene su encanto, pero solo bajo ropa opaca u oscura. En verano, se recomienda limitarse al blanco.

LLUVIA

Para ser elegante cuando llueve, simplemente hay que llevar un paraguas. Este útil complemento puede ser un objeto bonito, prueba de su refinamiento o ser una prueba flagrante de un mal gusto irremediable. Siempre hay que resistir modas como:

— puños de paraguas de imitación de madreperla o recargadamente adornados con plata y oro,
— colores pastel almibarados como malva, rosa, verde guisante y azul celeste,

— estampados,
— paraguas plegables que se cuelgan de la muñeca.

Las empuñaduras de gancho son más prácticas que las rectas, ya que pueden colgarse del brazo, mientras que los mangos rectos, que suelen ser más bonitos, o bien inmovilizan una mano o se resbalan al suelo si se los intenta sujetar bajo el brazo. El beige es uno de los mejores colores para paraguas, al igual que para los impermeables; armoniza bien con casi cualquier conjunto y proyecta una sombra muy favorecedora sobre el rostro. El negro y el blanco son colores seguros, clásicos. En general, se aconseja evitar las prendas de lluvia hechas de satén impermeable o similares que habilidosas vendedoras ofrecen persuasivamente con el argumento de que pueden utilizarse como abrigo de noche además de impermeable. La verdad es que rara vez quedan elegantes en ninguno de los dos usos.

Para ir de viaje se recomienda llevar un impermeable y paraguas con el equipaje de mano, en lugar de meterlos en la maleta. Por alguna misteriosa razón, siempre que se necesitan es a la llegada.

Y por último, en un día lluvioso, se debería elegir en el guardarropa solo tejidos que no se dañen con la lluvia, en lugar de intentar proteger el bolso, el sombrero y los guantes con fundas de plástico transparentes. Esos útiles pero antiestéticos inventos deberían quedarse donde les corresponde, en las estanterías de los supermercados, o bien utilizarse para proteger bolsas y cajas dentro de un armario y cajones del escritorio.

LUJO

La palabra «lujo» evoca toda clase de encantadores placeres y comodidades, aunque su significado ha perdido fuerza en cierto modo desde que se aplica indiscriminadamente a todo, desde las salchichas para el aperitivo hasta el lavavajillas.

Puede interpretarse como algo superfluo, caro, refinado y extravagante; en todo caso, es una palabra que acaricia el oído, así como la imaginación. Su sentido es completamente subjetivo. Todo el mundo tiene una idea de lo que es el lujo, como todo el mundo tiene su idea de la felicidad, desde el vagabundo que disfruta con el calor de la estación de metro hasta el coleccionista de arte que se deleita con la adquisición de un codiciado Picasso. Tal vez la idea del lujo derive en esencia de la comparación entre el estándar de vida mínimo de un grupo y de otro. Para muchas mujeres, la sensación de lujo implica simplemente la posesión de un objeto que sus amigos no tengan.

Nos acostumbramos al lujo —o al menos, a la idea que tenemos de él— mucho más deprisa que a su ausencia. Las florecientes industrias que dependen de nuestro deseo de lujo lo cultivan cuidadosamente mediante una publicidad destinada a persuadir a un grupo cada vez mayor de consumidores de que pueden permitirse «lujos». A Dior le salió muy rentable situarse al alcance de toda mujer vendiendo barras de labios bajo el eslogan: «¡Al menos sus labios pueden vestirse de Dior!».

En lo que atañe a la elegancia, cuanto mayor es el lujo, más discreto es, hasta que por fin, tras avanzar por estadios cada vez más restringidos, se llega a la cumbre del lujo, imperceptible para todos excepto para uno mismo.

M

MAQUILLAJE

El maquillaje es como el vestuario para el rostro; en la ciudad, una mujer no puede pensar en aparecer sin maquillaje, del mismo modo que no podría andar por la calle desnuda. Los cosméticos se rigen por la moda, igual que la ropa, y los fabricantes de productos de belleza, así como los diseñadores de alta costura, sacan dos colecciones al año de nuevos polvos compactos, barras de labios, sombras de ojos y esmalte de uñas.

Las mujeres muy jóvenes prefieren lápices de labios muy pálidos, bases muy claras para la piel y un maquillaje que acentúe mucho los ojos. Si una barra de labios era hace unos años el equivalente en la práctica de la primera maquinilla de afeitar para un chico, ahora las adolescentes apenas se molestan en comprarla. En cambio, todas tienen un lápiz negro de cejas y una cajita de sombras.

No obstante, se considera de mal gusto llevar sombras azules o verdes durante el día, y todavía más aparecer antes de la puesta de sol con dorados y plateados brillantes alrededor de los ojos.

En cuanto a las cejas, la moda dicta dejarlas lo más naturales posible, arregladas pero sin alterarlas y oscurecidas con un lápiz solo si son muy pálidas.

Para la mayoría de las mujeres que no pueden vivir sin aplicrase pintalabios rojo, es imprescindible poseer varios colores para elegir el tono que mejor combine con el atuendo diario. Los rosas claros y la sombra malva pálido van bien con todos los tonos de azul y violeta; los rojos anaranjados, que son los más en boga últimamente, quedan más bonitos con tonos beige y amarillos; y si se lleva un conjunto rojo, el carmín debe ser exactamente del mismo matiz de rojo.

Los colores muy oscuros están pasados de moda, al igual que los tonos artificiales muy alejados del natural, como el violeta. Tampoco resulta chic hacer trampa con el perfil natural de los labios pintando uno completamente distinto con un pincel. Por cierto, este útil instrumento nunca debería utilizarse en otro lugar que no sea el propio tocador.

Afortunadamente, llevar las uñas de las manos muy largas y pintadas de escarlata es una costumbre que han abandonado las mujeres elegantes en favor de uñas cortas y ovales, con esmalte transparente. Sin embargo, a menos que tenga unas manos perfectas, dejar que las uñas crezcan un poco y pintarlas con un esmalte rojo suave las favorecerá y hará que parezcan más largas.

En verano y al aire libre, con la piel morena por el sol, se puede pasar bien sin maquillaje, exceptuando un lápiz de labios claro y brillante. Los ojos solo deben pintarse para la noche, porque las pestañas postizas, la máscara y las sombras azules en los párpados no quedan bien con la luz del sol y menos aún con el agua del mar.

MARIDOS (Y GALANES)

Hay tres clases de maridos:

1) El marido poco atento, que dice: «¿Es un vestido nuevo, querida?» cuando por fin se fija en el conjunto que su mujer se ha estado poniendo los últimos dos años. No sirve de nada discutir con él, así que más vale dejarle en paz. Al menos, tiene una ventaja: la deja vestirse como le dé la gana.

2) El marido ideal, que se da cuenta de todo, se interesa sinceramente por su ropa, hace sugerencias, comprende la moda, la aprecia, disfruta hablando del tema, sabe muy bien qué favorece a su esposa y lo que necesita, y la admira más que a ninguna otra mujer en el mundo. Si alguien posee a este hombre de ensueño, que no lo deje escapar. Es una *rara avis*.

3) El dictador, que sabe mejor que la mujer lo que la favorece y que decide si los estilos en boga son buenos o no y a qué tienda o sastre debería ir. Sus ideas sobre moda suelen ser algo anticuadas, pero muchas veces sigue tan impresionado con la forma en que se vestía su madre que su gusto es, como poco, de hace veinte años.

No soy psicóloga, pero estoy convencida de que esa actitud hace que muchas veces las mujeres tengan complejos e inseguridad. Mejorar el aspecto físico es, al fin y al cabo, una de las actividades esencialmente femeninas, y con hombres que pretenden invadir ese dominio y reinar en él como déspotas existe el riesgo de que repriman toda iniciativa en sus mujeres… incluso en ámbitos muy diferentes.

A pesar de todo, hay más maridos de los que se puede imaginar que acompañan a sus mujeres a comprar y escoger su guardarropa. Suelen saber muy bien lo que les atrae, tienen un gusto bastante conservador e ideas muy definidas, sobre todo en lo que se refiere al color. Pero siempre son más vulnerables al argumento persuasivo de la dependienta y, al final, resultan más extravagantes que las mujeres.

Muchas veces me pregunto si sacrifican su precioso tiempo para evitar errores costosos o si se trata de una sincera preocupación por la elegancia de sus esposas. Ellas siempre parecen muy halagadas por el interés que inspiran y las molestias que se toman por ellas. Pero mi reacción personal sería de un fastidio considerable ante tamaña falta de confianza en mi propio gusto.

MEDIAS

A pesar de los esfuerzos de los fabricantes de medias por diversificar sus productos, la mayoría de las mujeres llevan el mismo tipo de medias desde la mañana hasta la noche y para cada ocasión. Hay intentos de lanzar una nueva moda en medias dos veces al año, pero aunque nos digan que el tono de moda este año es el albaricoque, el coñac o el antílope, y que las costuras están de moda o no lo están (en una época se consideraban chic, luego se abandonaron por completo y ahora se han redescubierto), el hecho es que las medias ofrecen escasas posibilidades para la imaginación. La tendencia básica es que sean cada vez más invisibles.

Con todo, las medias de tejido estampado y colores vivos que Dior fue el primero en proponer para el campo pueden añadir una divertida nota personal a un conjunto deportivo; y los calcetines estampados hasta la rodilla son alegres y encantadores para las niñas.

Pero es más sensato y económico resistir las últimas novedades para el uso diario y escoger solo dos tonos de medias en cada temporada: uno para el día y otro para la noche. Con ropa de ciudad se recomienda un tono beige neutro, que armonizará con el color de todos los atuendos; para la noche, un tono más claro, de media fina, transparente, con unos refuerzos en talones y dedos que queden ocultos por los zapatos. La transparencia y la fuerza dependen de la galga y los deniers. La galga se refiere al tamaño de los puntos, y cuanto mayor sea su número más fuerte será el tejido; el denier es el espesor del hilo, y cuanto mayor sea más gruesa, densa y fuerte será la media.

Cuando se va a comprar medias, se puede eliminar el riesgo de una sorpresa desagradable seleccionando el color a la luz del día, pues el neón de muchos grandes almacenes hace que los tonos del nailon parezcan más claros de lo que realmente son.

Se debería evitar llevar medias oscuras o rojizas con un atuendo negro, porque el efecto resulta monótono y deprimente; un beige natural es el tono más atractivo con negro. Aunque las piernas morenas del sol quedan preciosas con un vestido de verano blanco o de tono pastel, por alguna razón el nailon del mismo tono no queda bien con blanco; es preferible llevar un color rosado o beige.

Las medias de nailon transparente ya no son un lujo y solo hay una leve diferencia entre las variedades más baratas y las más caras. Resultarán menos caras si se toma la precaución de comprar seis pares del mismo tono a la vez y de la medida correcta de pie y pierna. Y ya no hay excusa para utilizar medias con carreras, zurcidas o no. Llevar siempre un par de repuesto en el bolso da mucha seguridad en caso de que se rompan.

Por desgracia, todavía se ven desde lejos demasiadas medias arrugadas o haciendo bolsas en los tobillos y las rodillas. Las medias de nailon sin costura suelen formar más bolsas que las que la tienen, ya que estas últimas se tejen en plano y se les da forma aumentando o disminuyendo las puntadas, en lugar de aumentar meramente la tensión, como ocurre en la media sin costuras. Aun así, en general pueden evitarse las antiestéticas arrugas estirando la media en cuanto se ha metido el pie y no solo desde arriba.

Una mujer puede creer que sus piernas son una parte del cuerpo con una función determinada, pero para los hombres son uno de sus rasgos más seductores, y sería absurdo descuidar este atractivo especial. Las piernas de una mujer elegante deben estar tan bien cuidadas y vestidas como todo lo demás.

MODA

Hay dos clases distintas de moda, que puede diferenciarse como «auténtica moda» y «moda pasajera».

La auténtica moda es una corriente profunda que solo cambia cada cuatro o cinco años y es inspiración de un creador determinado, mientras que las modas pasajeras son pequeñas olas de poca importancia, que traen los vientos de una sola temporada y las inventan múltiples diseñadores. La primera es la que cambia líneas, volumen y amplitud de la moda; la segunda se centra en los detalles y, sobre todo, en los adornos.

Vista desde cierta distancia, solo la auténtica moda permanece, ya que marca toda una época. Pero es la moda pasajera la que procura el máximo placer a los copistas, pronto es adoptada por la industria del *prêt-à-porter* y enseguida se ve en los escaparates de los mejores grandes almacenes. Por ese motivo, cuando se tiene un presupuesto limitado, se recomienda resistir la tentación de las últimas novedades de la moda pasajera, pues se corre el riesgo de que se quede anticuada seis meses después. Es fácil cansarse enseguida, por ejemplo, del último grito en color que las industrias textiles y de piel han decidido lanzar un año antes con una deslumbrante campaña publicitaria. Abrigos, vestidos, trajes, zapatos y bolsos florecen de pronto en rosa o verde manzana durante una temporada, pero no van más allá de ella.

Por supuesto, para ser elegante, hay que ir a la moda. Si la última moda resulta ser exactamente la que nos sienta bien, ¡mejor que mejor! Pero si alguien no puede llevar, por ejemplo, vestidos cortados al bies, no debe ponérselos. Seguro que en la moda del momento hay un estilo de abrigo o de traje que nos favorece y, si no, ya sustituiremos la ropa cuando vuelva a ser favorecedora para nuestra figura.

Parece cierto que la moda sigue la ley de la naturaleza, moviéndose en un patrón cíclico. Muchas «nuevas» modas son solo el resurgir o la adaptación de tendencias de hace unos años.

Gracias a los sorprendentes progresos del comercio minorista, las copias baratas de los últimos diseños son más chics y atractivas cada año, y resulta tentador transformar la propia personalidad con cada *new look*. Pero esas mujeres afortunadas que ya han establecido su propio estilo e intentan preservarlo deberían concentrarse en los modelos menos impactantes, que no caducarán como los productos de alimentación a causa de cualquier detalle de moda pasajera.

Una cosa es cierta: ninguna mujer puede ser elegante si intenta combinar en un solo conjunto la inspiración de diseñadores distintos. Un atuendo de moda no es el *Reader's Digest*. En el mejor de los casos, dará la impresión de ir a un baile de disfraces vestida como el último número del *Vogue*.

MODELOS

Ser modelo es el sueño de muchas chicas, que solo ven el aspecto del glamour de esa carrera, en realidad no tan brillante como parece. A cambio de unos cuantos viajes interesantes al año y la satisfacción de ver sus fotos en las portadas de las revistas, una modelo tiene que permanecer de pie durante horas y horas de prueba, en las denominadas «sesiones de pose», que son absolutamente agotadoras. No puede permitirse siquiera aumentar medio kilo o broncearse. Exceptuando el caso de las chicas muy fotogénicas que se ganan muy bien la vida posando para las revistas de moda además de su trabajo en las pasarelas, las modelos permanentes de salones de alta costura, e incluso las modelos *free-lance* que trabajan por horas, ganan probablemente menos que una secretaria, y encima están obligadas a invertir una gran parte de sus ingresos en su aspecto personal.

Mientras que las actrices siempre pueden cambiar su tipo de papel cuando envejecen, una modelo tiene un solo papel, que no durará más que lo que dure su juventud.

El tipo de elegancia que personifican las modelos suele ser bastante extremo y no parece fácil de adaptar a la vida cotidiana. Por ejemplo, si unas cuantas modelos bajaran a la calle ataviadas con los conjuntos de la pasarela y la gente no volviera la cabeza asombrada, el diseñador consideraría que su colección ha resultado un fracaso. Al presentar una colección de moda, hay cierta tendencia a exagerar el efecto deseado, para enfatizar un determinado estilo. Muchas veces es cuestión de ciertos detalles, que pueden eliminarse para que el conjunto pierda ese aire excéntrico y se convierta en elegante para una mujer normal y corriente: el peinado o el maquillaje de la propia modelo, que para empezar tiene un aspecto impactante ya de por sí, o simplemente el desproporcionado o excesivamente brillante despliegue de joyas.

Por otra parte, más vale comprar completo un conjunto que en un desfile, un escaparate o una revista de moda resulte absolutamente perfecto, de lo contrario existe el riesgo de sufrir una decepción. Un vestido presentado en una colección de moda es como un cuadro enmarcado. Si se le quita el marco, el cuadro sigue siendo hermoso, pero, aun así, parece que ha perdido algo.

NAVEGACIÓN

Lo único que debería flotar al viento a bordo de un yate son los colores de la bandera. Un vestido o una falda que se agite estaría fuera de lugar. Por consiguiente, la ropa aconsejable debe ser sencilla y ligeramente masculina. Además, las embarcaciones de recreo no suelen disponer de armarios lo bastante amplios para albergar muchos vestidos.

Si tiene la suerte de navegar en aguas cálidas, necesitará:

— varios trajes de baños que se sequen rápidamente (el punto fuerte del guardarropa),

— un albornoz de felpa,

— pantalones cortos y un top de algodón para el almuerzo a bordo, que es el momento más tórrido del día,

— un vestido de playa auténtico,

— una falda de lino o pantalones y una blusa para comer en tierra,

— prendas de punto para el fresco de la noche, y, por fin:

— un vestido un poco más de vestir para cenar en tierra en un restaurante elegante.

Si se navega en un clima más frío, se necesitarán varios jerséis gruesos, una buena parka o un abrigo deportivo y un traje forrado para las excursiones a tierra. En algunos yates, la costumbre es andar descalzo por el barco todo el día; en otros, el patrón prefiere que la tripulación y los invitados lleven zapatillas antideslizantes. Aparte de eso, se necesitarán varios pares de sandalias o alpargatas para llevar a tierra, pero nunca tacones, ya que arruinarían la cubierta.

La gorra de almirante con visera debe evitarse como una plaga. Un sombrero forrado es la mejor protección del sol abrasador, y pañuelos de algodón o chifón de colores vivos para sujetarlos contra el viento.

Ahora es el momento de demostrarle a todo el mundo que no tememos que nos vean sin maquillaje, que nunca dejamos una estela de desorden a nuestro paso, que tenemos una actitud maravillosamente equilibrada y que nuestra elegancia se basa en la absoluta sencillez. Si este es el caso (y no nos mareamos con facilidad y sabemos nadar), seguro que pasaremos uno de los momentos más maravillosos de nuestra vida.

NAVIDAD

La Navidad es una ocasión muy especial. Se prepara con semanas de antelación, pensando sobre todo en los demás y en el placer que se espera ofrecerles. Si hay un momento del año en que hay una tendencia a sentirse afable, afectuosa, bondadosa, considerada y generosa, es ciertamente en Navidad.

Es natural armonizar el aspecto físico con esas hermosas cualidades morales, y esto, para la mayoría de las mujeres, significa un vestido nuevo, un peinado bonito y tal vez un tratamiento de belleza. Además, es también una manera de hacer honor al regalo que sabemos que vamos a recibir, porque en el fondo del corazón esperamos que dicha bondad, consideración y generosidad, sean recompensadas. Y en buena medida, por ejemplo, ¡una joya a cambio de una pajarita!

Según el tipo de fiesta de Navidad a la que asista, el conjunto ideal es un vestido de noche, largo o corto, y sin llegar a brillar como el árbol de Navidad, es apropiado hacer un esfuerzo especial para crear un aspecto esplendoroso.

Si se pasa la Navidad en el campo o en la montaña, o si la Nochebuena va a ser una tranquila velada en casa para dos, un vestido de anfitriona o uno de esos conjuntos de casaca y pantalón amplio tipo pijama de terciopelo con un conjunto de joyas estará bien, a menos que se prefiera una falda corta de fieltro bordado o de lana con leotardos de color vivo y un top escotado.

Hay que recordar que se trata de una noche especial y que merece el honor de una forma de vestir distinta a los demás días del año.

«NÉGLIGÉS», BATAS Y SALTOS DE CAMA

Uno de los aspectos más desconcertantes e incoherentes en mujeres que, por todo lo demás, serían elegantes, es el modo en que abandonan su aspecto durante las horas de intimidad en casa, cuando en realidad es el momento en que deberían estar más atractivas.

Casi todas las mujeres poseen uno o dos conjuntos bonitos de camisón y bata o *négligés*, que suelen reservar cuidadosamente para cuando viajan. Los camareros del servicio de habitaciones no saben la suerte que tienen. Y teniendo en cuenta que el servicio de los hoteles, si está bien preparado, no debe ni mirar a la hermosa dama que exhibe su mejor lencería, ¡es un verdadero desperdicio!

OCASIONES ESPECIALES

Hay numerosas ocasiones en la vida en que, incluso las mujeres más despreocupadas y que prestan menos atención a su ropa, se dan cuenta de que socialmente puede ser importante vestirse bien. Invadidas de repente por el pánico ante la idea de ser el centro de atención, se preguntan con angustia: «¿Qué me pongo?» y corren a comprar cualquier clase de vestido nuevo.

Sea cual fuere la ceremonia en la que una mujer o su pareja deban desempeñar un papel protagonista —como ser padrino en un bautizo, presidir un banquete en honor de un huésped distinguido, ser miembro del comité de un baile de caridad, asistir a la graduación de un hijo o una hija, dar una comida de cumpleaños o bien ser invitado a la fiesta de Navidad de su empresa—, la sencillez debería ser la regla de oro, en lugar de transformar radicalmente el propio aspecto para ese acto especial.

Si alguien suele vestirse, por ejemplo, con trajes sastre, tacones bajos y gafas de montura de concha durante los trescientos sesenta y cinco días al año, no debe empeñarse en llevar de pronto un vistoso lazo en el pelo y un vestido escotado con volantes y encaje. Y si, por otra parte, todo el mundo está acostumbrado a ver brillar a una mujer de la mañana a la noche con joyas y colores vivos, no debe aparecer vestida de negro drapeado como si asistiera a un funeral. Solo lograría sorprender a todo el mundo y en esa ocasión no le interesa causar sensación, sino presentar un aspecto atractivo y agradable.

La primera consideración que debe guiarnos en la elección de la ropa debe ser la hora de la ceremonia, y a continuación, el grado de formalidad y el escenario en el que se celebrará.

El negro no es el color ideal para las funciones más o menos ceremoniosas de última hora del día; de hecho, está prohibido por el protocolo de la corte. Pero no se ha inventado nada mejor que el vestidito elegante para la cena, sin mangas y con cierto escote, ideal para llevar cuando los hombres van con traje de calle más que con traje de etiqueta o esmoquin. Un vestido negro chic de este tipo es parte indispensable del vestuario de toda mujer, e ideal para todas las cenas de negocios en las que su marido desea presentar orgullosamente a su jefe, sus colegas o clientes a una mujer cuyo buen gusto es tan notable como su elegancia.

Cuando se reciba en casa, no importa si los invitados son muy ricos o importantes: nunca queda bien intentar deslumbrarles. Además, es de mal gusto eclipsar a las invitadas femeninas llevando un vestido deslumbrante o excesivamente costoso, pues podría inspirar celos, ¡y solo Dios sabe el mal que puede hacer una mujer celosa! Si se pone demasiado empeño en vestirse y agasajar con elegancia se podría inspirar, sin querer, el resentimiento de las propias personas a las que se intenta impresionar…

ORIGINALIDAD

Para ser elegante, una mujer debe empezar por saber cómo hacer una selección inteligente entre las innumerables prendas de ropa a la venta con tan variados precios. Si es capaz de añadir a esa ciencia el don de inventar detalles personales —como colocar con acierto una joya, o una inesperada combinación de colores—, entonces se convierte en número uno de la moda y en una de esas mujeres especiales capaces de crear estilo, y que otras imitarán (como decimos en el mundo de la moda, «es una locomotora»).

Creo que probablemente no habrá más de una mujer de cada doscientas mil que posea ese talento innato. Puede tener la inspiración de desenterrar una vieja cestita de huevos de la buhardilla para transformarla en un bolso de playa, o de llevar el reloj de bolsillo de su abuelo alrededor del cuello con una larga cadena. Cito solo dos ejemplos de moda que se popularizaron rápidamente, pero que seguramente fueron inventados por alguna mujer inteligente cuya idea original imitaron muchas otras.

La originalidad, cuando solo es deseo de atraer la atención, adquiere un significado desfavorable, sobre todo en una sociedad que se está volviendo cada vez más conformista. Y, por cierto, es una cualidad que, cuando no va acompañada de buen gusto y moderación, puede producir efectos cómicos. Algo temido por muchas mujeres que, para estar seguras de no cometer un error, prefieren vestirse como las demás, de un modo más banal.

Sin embargo, la moda solo puede renovarse con un continuo fluir de experimentos originales, que cesan de chocar en cuanto los adopta un determinado número de personas. Como dijo Jean Cocteau: «La moda es la aceptación de lo ridículo». Lo que primero es original, luego se convierte en «la moda», pero es abandonado por sus creadores en cuanto ha sido ampliamente aceptado, y cuanto mayor es su éxito, más rápido es su declive. De veinte ideas originales, tal vez solo una —y no necesariamente la más valiosa— sobrevivirá. Pero sin las mujeres inventivas y los diseñadores que se niegan a ser como el resto del mundo, la moda dejaría de existir.

PANTALONES

Los hombres han cambiado singularmente a través de los siglos, hasta aceptar finalmente que las mujeres tienen tanto derecho como ellos a llevar pantalones, lo que es un sagrado privilegio que nunca habían disfrutado, ni siquiera con Juana de Arco.

Si hace cincuenta años era costumbre vestir a los niños como niñas, hoy se viste a las niñas como niños. Por eso no es de extrañar que, después de pasar la mitad de la infancia en pantalones, las chicas quieran seguir llevándolos el resto de su vida, incluso cuando ya hayan adquirido contornos a veces demasiado femeninos para poder llevar pantalones de chico.

Una vez se ha experimentado la comodidad de los pantalones, es difícil llevar otras prendas.

En casa, aquellos conjuntos de casaca y pantalones tipo pijama de telas vaporosas, tan populares entre las anfitrionas hace algunos años, han dejado paso a vestidos largos, mil veces más elegantes y favorecedores.

PANTALONES CORTOS

Las dependientas de las secciones de deportes deberían evitar vender pantalones cortos a nadie que tenga más de cuarenta años, o más de noventa y seis centímetros de cadera.

Si no se está muy segura con la longitud de las piernas y la belleza de las rodillas es mejor prescindir de ellos. Las bermudas son los más difíciles de llevar y el estilo *boy scout* nunca ha sido elegante.

Los pantalones muy cortos favorecen siempre que se tengan bonitos muslos, ni demasiado delgados, ni muy gruesos, ni tampoco flácidos, y a condición de que los pantalones no revelen la parte inferior de las nalgas y que se estrechen en las piernas para no resultar demasiado indecentes. En cualquier caso, siempre se deben llevar debajo unas bragas ceñidas y opacas, preferiblemente del mismo color que los pantalones.

Después de los dieciséis años de edad, no habría que llevar pantalón corto de ningún tipo, excepto en la playa, la pista de tenis o a bordo de un barco.

PENDIENTES

Los pendientes, más que ninguna otra pieza de joyería, afectan a la forma y el semblante de una mujer, y pueden darle un aspecto de vulgaridad si no se eligen con mucha discreción. Conviene tener en cuenta los siguientes principios:

— Los pendientes largos son demasiado de vestir y nunca deberían llevarse durante el día.

— Los sencillos aros de oro no son elegantes por la noche o con un conjunto de etiqueta.

— Si se lleva un collar grueso o de varias vueltas, es mejor no ponerse pendientes.

Asumiendo el riesgo que implican y procediendo con cautela, se puede intensificar el atractivo o incluso alterar las proporciones del rostro eligiendo cuidadosamente unos pendientes. Los que llevan colgante, por ejemplo, tienen el efecto de alargar los rostros llenos y redondos. A menudo suavizan las líneas duras de un peinado hacia arriba, como los muy anchos de clip. Los de tipo botón dan amplitud a las caras largas y delgadas.

Cualquiera que sea la actividad que se realiza, no hay que ponerse un par de pendientes todas las mañanas por simple costumbre. Como todas las joyas, deben elegirse deliberadamente por el chic o la belleza que confieren a un determinado conjunto (véase la sección «Joyas»).

PERFUME

La humanidad siempre ha sentido la necesidad de deleitar su sentido del olfato, y como prueba no hay más que visitar el Louvre o el Metropolitan Museum y admirar las vitrinas llenas de frascos de perfume antiguos que se remontan a las más arcaicas civilizaciones. No obstante, en lo que respecta al perfume, el gusto ha adoptado muy distintas formas a través del mundo y a lo largo de la historia.

Por ejemplo, en la sabana africana, incluso las tribus más primitivas fabricaban perfumes tan potentes que podrían matar a todas las moscas de la Quinta Avenida. En la época de Luis XIV, cuando había que enmascarar los olores corporales resultado de la falta de higiene generalizada, las fragancias eran mucho más fuertes que hoy. De hecho, la tendencia moderna se ha orientado hacia los aromas cada vez más ligeros y un uso intensificado del agua, el jabón y las colonias en detrimento de las esencias más concentradas. Hoy se considera de muy mal gusto que la presencia de una mujer pueda detectarse por el olor antes de verla, aunque su llegada sea anunciada por Miss Dior. Tampoco es elegante dejar una estela de perfume embriagador, como una exótica heroína de novela de antes de la Segunda Guerra Mundial. Debido a esta moda de fragancias más ligeras, muchas mujeres que recuerdan el perfume que utilizaban sus madres afirman que las mezclas modernas son menos duraderas que las de antes. Puede ser o no cierto, pero en cualquier caso, no es una objeción grave, pues la industria del perfume va viento en popa.

Dos factores principales influyen en una mujer a la hora de elegir un perfume. Primero, el recipiente, que colocará en su tocador si el frasco es elegante, obviamente lujoso, y si lleva una famosa etiqueta; y segundo, el propio aroma, si subraya su personalidad e intensifica su encanto. En este sentido, el único peligro es una incompatibilidad química entre ciertas esencias aromáticas y ciertos tipos de piel. Por consiguiente, la mejor manera de escoger un perfume es el método del ensayo y el error. Conviene aplicarlo con atomizador, y el máximo refinamiento es tener la *eau de toilette*, perfume, jabón de tocador, sales de baño, polvos e incluso bolsitas de olor para el armario con la misma fragancia.

En tiempos de mi madre, una vez se descubría un perfume que agradara a la mujer y a su entorno, lo aconsejable era serle fiel. Una mujer elegante solía considerar un honor esa fidelidad a su fragancia, que era algo así como su firma. Pero hoy día el perfume parece seguir un criterio más variado. Algunos están pensados para mujeres más jóvenes, otros para no tan jóvenes; unos son para el verano, otros para el tiempo frío. Así, una mujer elegante, aunque no puede cambiar de fragancia cada dos días, porque su ropa se impregnaría de una mezcla espantosa, no es tan fiel como antes. Por el contrario, siempre recibe con agrado el regalo de un nuevo perfume.

PERSONALIDAD

Ser elegante significa antes que nada conocerse, y conocerse bien requiere cierta dosis de reflexión e inteligencia. Por tanto, una mujer que carezca de ella siempre encontrará muy difícil llegar a ser elegante de verdad. Imitará bien cualquier moda que la atraiga sin intentar adaptarla a su caso particular, a su figura o a la vida que haga, incluso cuando la moda en cuestión se haya creado para un tipo de mujer totalmente distinta de ella.

Requiere cierta fuerza de carácter distinguir la propia personalidad del escenario o el entorno que puede constreñirla, a menudo por el deseo afectuoso de ofrecerle protección. Algunas mujeres nunca logran liberarse, o solo muy tarde en su vida. Pero en la actualidad, incluso las chicas más jóvenes están libres de la supervisión de los padres y tienden a sentirse atraídas por todo lo que sea opuesto a lo que hayan conocido en casa. Esta forma de condicionamiento es quizá tan válida como otra, y probablemente tiene como resultado la misma proporción de mujeres elegantes y desaliñadas que antes, porque a menudo he observado que a la hija de una mujer muy elegante suele gustarle vestirse como una vagabunda; mientras que la hija de una mujer que siempre va en vaqueros solo sueña con encajes y volantes.

La personalidad no es solo rebeldía, sino también reconocimiento de todas nuestras cualidades y defectos físicos, así como de los recursos psicológicos y financieros. Esto significa reconocer los hechos siguientes:

— si no se tiene el valor de atravesar un edificio en construcción donde veinte trabajadores silbarán con toda seguridad a nuestro paso, es absurdo comprarse el rojo vivo que tanto nos favorece,

— si se tiene un cabello difícil que no mantiene el peinado más de una hora, vale más decidir ahora un corte de pelo y un peinado que se pueda arreglar en casa, como un moño francés o un chignon, en lugar de intentar copiar el elaborado peinado de la vecina de al lado,

— si una mujer mide un metro cincuenta y dos y pesa sesenta kilos, es mejor que deje los zapatos planos guardados hasta que llegue el fin de semana,

— si el marido detesta salir de noche y la mujer no quiere herir sus sentimientos, es inútil que se compre un bonito abrigo de noche, aunque esté rebajado. Por otra parte, un atractivo salto de cama nuevo tal vez ayudará a animar esas noches hogareñas,

— una campeona de baloncesto, probablemente quedará ridícula con una blusa de chifón hecha a mano y de un tono pastel.

En resumen, desarrollar una personalidad significa conocerse y, sobre todo, evitar la actitud del avestruz, la que se niega a reconocer lo más desagradable de su aspecto físico. Se trata, en cambio, de intentar remediarlo. Cuando una mujer ha definido su personalidad —o bien, si tiene más carácter, la ha moldeado a su gusto—, encontrará más fácil lograr no solo la elegancia, sino también la felicidad.

PESO

El kilo inesperado y no deseado que se nos añade insidiosamente cuando no prestamos atención es el peor enemigo de muchas mujeres. Cada primavera, las revistas de moda y los suplementos femeninos inventan nuevas dietas que, si se siguen al pie de la letra, garantizan una figura esbelta, y por consiguiente, elegancia. Aunque no es necesario ser tan delgada como una modelo para ser elegante, probablemente sea cierto que la lista de las diez mujeres mejor vestidas es también la lista de las diez mujeres más hambrientas.

Según la teoría dietética que usted elija, el enemigo puede adoptar la forma de sal, líquidos, azúcar, grasas, féculas, fruta, verduras, queso, ciertas carnes, dulces o alcohol. Por desgracia, la lista de platos apetitosos que pueden disfrutarse sin riesgo de obesidad se va encogiendo tristemente cada año que pasa. Si los cuentos de hadas infantiles se actualizan algún día, el hada madrina no tendrá que olvidar, cuando extienda la mano sobre la cuna de la princesita, dotarla del mágico poder de comer cualquier cosa que desee sin engordar.

Adelgazar es casi una nueva religión, cuyo rito es el ayuno de veinticuatro horas; sus sumos sacerdotes son los médicos dietistas y su maestro el doctor Atkins. Antes, la dieta se seguía de manera muy discreta, casi clandestina, y sus primeros seguidores se contentaban con lograr una moderada esbeltez que aún permitía unas pocas y suaves curvas. Pero la secta adquiere nuevos adeptos día a día y ahora decreta tajantemente que la salvación es imposible para los pocos infieles que no crean en la silueta de palillo y el aspecto flaco. ¿Es debido a las reducidas dimensiones de los pisos modernos o al aumento de la población? Cuanto más delgada es la gente, menos espacio ocupará. Con todo, resulta irónico que cuanto más delgadas se supone que tenemos que ser, más tiende a hacernos engordar la vida moderna, porque el sobrepeso nervioso es ciertamente una de las enfermedades del siglo (y dado que el sobrepeso suele ser una forma de enfermedad, habría que consultar solo con el médico para cuestiones de dieta).

Y así, la mayoría de las mujeres siguen dietas prácticamente toda su vida, y la cantidad de sus comidas se ha dividido por la mitad durante los pasados treinta años. Sin embargo, a veces es buena idea dejar de contar las calorías. Por ejemplo, una mujer que mordisquea una manzana en un restaurante elegante ofende al hombre que la invita, así como al *maître d'hôtel*, y quién sabe si el primero no preferiría compartir su mesa la próxima vez con una dama quizá menos sílfide, pero también menos ascética.

Moraleja: la dieta debe practicarse en solitario.

PLANIFICAR

Las mujeres mejor vestidas suelen ser las que piensan más (lo cual no implica necesariamente más tiempo ni, por cierto, más dinero) en su ropa.

Dos veces al año, cuando se acaba el verano en septiembre, y cuando aparecen los primeros signos de la primavera, a finales de febrero o principios de marzo, es una buena idea hacer inventario del guardarropa para la temporada siguiente. Se debe ser objetiva y desechar sin piedad:

— los tejidos gastados o manchados y las prendas anticuadas que no valga la pena arreglar,

— los zapatos y bolsos viejos que se guardaban para un día de lluvia,

— los sombreros pasados de moda.

Y se debe planear deshacerse de:

— la ropa que se haya quedado pequeña (cuando al fin se logre adelgazar, probablemente estará pasada de moda),

— cualquier cosa que no se haya puesto en los últimos dos años y no se pueda remodelar como prenda útil; en este aspecto, no hay que esperar milagros del tinte o de la ropa reformada, porque los resultados suelen ser decepcionantes y siempre caros.

En cuanto al resto, se han de organizar los arreglos necesarios: ajustar el dobladillo a la moda actual o cambiar botones. Y luego decidir qué se necesitará comprar para completar el guardarropa.

A menudo resulta práctico elegir un color básico para cada temporada. Puede ser beige, azul marino, gris o a cuadros blancos y negros para la primavera; negro, marrón, gris oscuro o verde oscuro para el invierno. No es mala idea tener varios conjuntos del mismo color para poderlos llevar con los mismos complementos.

A principios de temporada ya se deberían haber adquirido los conjuntos básicos para las principales ocasiones: ropa profesional, ropa de diario, de noche y de sport. Hay que intentar adelantarse a cualquier viaje que se tenga la intención de hacer, así como a los actos especiales o bailes que puedan incluirse en el calendario social. Si ya se han escogido las principales prendas —como un abrigo de invierno y un traje de primavera—, cuidadosamente y no en un frenesí de última hora, se puede sucumbir más tarde a una compra no premeditada. Así no habrá riesgo de desequilibrar todo el guardarropa o de gastar todo el presupuesto en un costoso traje sastre cuando lo que se necesita es un traje de noche. Se debe intentar también no hacer las mismas compras principales cada año, sino un buen abrigo un año, un buen traje sastre el año siguiente, o un conjunto de vestir.

Sin embargo, sería un error establecer un programa de guardarropa y adherirse a él de manera inflexible. De hecho, algunos de los conjuntos más favorecedores se compran siguiendo un impulso. Una mujer nunca debería privarse de algo que le guste mucho y la haga más guapa solo porque no formaba parte de sus planes.

PLAYA

Una cosa es cierta con respecto a la ropa de playa: si sigue reduciéndose como hasta ahora, la orilla del mar pronto parecerá una gran colonia nudista.

Es indudablemente mucho más agradable nadar y tomar el sol con un mínimo de ropa, pero a menos que se tenga una figura impecable, menos de veintiún años y la piel de un tono bronceado dorado, es preferible llevar un bañador de una sola pieza, que resulta mucho más favorecedor que el de dos piezas y, además, es mucho más bonito.

No hay razón para que una mujer que ya no es joven y tal vez un poco robusta u otra que es prácticamente piel y huesos tenga que privarse del sol y el mar. Pero al menos debería evitar aparecer en una playa pública con un atuendo demasiado revelador o exagerado.

Aunque una mujer parezca una diosa en traje de baño, es incorrecto llevarlo en cualquier otro lugar que no sea la playa. En cuanto se abandona la arena, hay que cubrirse con algún albornoz, vestido, falda, pareo, pantalón corto o incluso una camisa larga si se tienen las piernas bonitas. Pero ¡cuidado!, los pantalones muy cortos revelan la parte inferior de las nalgas. Por muy encantadora que pueda ser esa parte parece indecente al exhibirla.

Los colores básicos (rojo, azul, amarillo y blanco) tienen un aspecto más fresco a la luz del sol que los tonos más sutiles como malva, verde moho o amarillo mostaza, que a menudo parecen simplemente ajados.

Ni que decir tiene que un conjunto de playa debe completarse con el calzado adecuado, ya sean alpargatas de tela o sandalias planas de tiras. Es la época en que hay que tomar serias medidas para embellecer los pies, martirizados los once meses anteriores. Hay que alisarlos con piedra pómez todos los días y suavizarlos con crema, cortar las uñas bien cortas y rectas y pintarlas con un esmalte rojo claro y brillante que armonizará con todos los colores del guardarropa de verano. Las piernas deben estar muy suaves. Nada quita más encanto a una mujer en bañador que unas piernas descuidadas.

En conclusión, la elegancia en la playa consiste en un grado relativo de desnudez, rodeada de una gama ilimitada de complementos con los que desarrollar la imaginación y el buen gusto.

POSTURA

Hace años, toda chica bien educada recibía lecciones de postura e incluso hoy, cuando enviamos a nuestras hijas a clases de danza, suele ser con la esperanza de que crezcan y se conviertan en jóvenes gráciles más que en primeras bailarinas.

Las modelos que presentan una colección de moda adoptan una curiosa manera de andar y posturas muy antinaturales: los hombros ligeramente encorvados, el vientre hueco y las caderas proyectadas hacia delante, para crear una figura en forma de S. Más que andar, se deslizan, y el efecto es deliberadamente chocante y artificial. Pero podemos estar seguras de que, en cuanto dejan los focos del salón, esas bellezas adoptan andares y posturas totalmente naturales.

En la vida normal, a cualquier mujer le favorece el mantenerse recta, como si quisiera aumentar la altura unos centímetros, incluso si es alta. Una espalda redondeada, unos hombros combados o una barbilla caída crean una imagen de extrema lasitud o de descorazonamiento ante la vida... y de tener diez años más de nuestra edad real.

Cuando una mujer se prueba ropa, siempre se coloca muy recta frente al espejo del probador. Si después ahueca el pecho y deja caer el cuerpo, no deberá sorprenderse de que su nuevo atuendo no parezca tan chic como cuando se lo probó en la tienda.

PRESUPUESTO

A menos que alguien pueda permitirse comprar toda la colección de un diseñador, como una estrella de Hollywood, es fundamental fijar un presupuesto y un plan a largo plazo para el propio vestuario. Con una cuidadosa coordinación, buen gusto y comedimiento, incluso un pequeño presupuesto puede permitir que vayamos sorprendentemente bien vestidas. Como ejemplo, he aquí el perfil de un básico pero completo guardarropa mínimo:

Para invierno

1 abrigo de un color vivo, por ejemplo, rojo,
1 falda a juego,
1 jersey de un color complementario, por ejemplo, beige o marrón,
1 falda negra,
1 jersey negro,
1 jersey de punto de seda, negro o blanco, con un escote bonito,
1 par de zapatos de salón negros de tacón alto,
1 par de zapatos marrones bajos para el campo,
1 bolso de cuero negro,
1 collar de perlas.

Con esas pocas prendas, se puede estar equipada para el trabajo y los actos sociales.

PARA PRIMAVERA Y VERANO

1 traje de lana fresco, gris o azul marino,
2 blusas:
una oscura,
otra de un color liso, claro y vivo, por ejemplo amarillo limón, turquesa o rosa,
2 faldas del mismo material que las blusas; al llevarlas juntas, se convierten en un conjunto, ideal para las vacaciones de verano.

También para las vacaciones de verano (si se tiene buena figura), se puede añadir:

1 par de pantalones de color vivo,
1 par de pantalones cortos azul marino,
2 tops de punto de algodón, uno de ellos escotado y ambos en tonos favorecedores y de moda,
1 bolso de paja de color natural,
1 par de sandalias de tira, del mismo color que los pantalones,
1 par de sandalias con correa (atadas al tobillo).

Todas esas prendas pueden llevarse durante dos años como mínimo, excepto el calzado, que siempre debe estar en condiciones impecables.

Partiendo de este mínimo de elegancia, con la esperanza de alcanzar el máximo (véase la sección «Armario ideal»), hay, evidentemente, muchas prendas que pueden comprarse, y en primer lugar, un buen vestido negro. Pero pueden añadirse poco a poco al núcleo inicial del guardarropa.

Si cada compra se coordina con inteligencia, el ingenio puede obrar milagros. Un cinturón, un collar o unos pendientes pueden conferir un aspecto nuevo al conjunto del año pasado y permiten al mismo tiempo ahorrar presupuesto para invertir en un auténtico vestido de fiesta o un par de zapatos de vestir.

Pero hay que tomarse tiempo y hacer el esfuerzo de ir de compras en busca del complemento ideal y el vestido perfecto en distintas tiendas y no contentarse con un rápido recorrido un sábado por la tarde en horas punta y comprar el primer artículo que nos cae en las manos. Cuanto más reducido sea el presupuesto, menos podemos permitirnos cometer errores. Siempre hay que tener en cuenta los pagos y la situación financiera y comprender que la adquisición de la más irresistible moda pasajera significará tener que llevar zapatos con aspecto de usados durante los próximos seis meses. A no ser que decidamos prescindir de los postres para poder seguir comprando.

Por desgracia, no podemos tenerlo todo y, por tanto, cada una de nosotras debe establecer su propia escala de valores. Si la afición a la ropa es más fuerte que la pasión por los dulces, seré la primera en aplaudir esta tendencia, ya que probablemente estoy ante una mujer elegante aunque no disponga de mucho dinero al mes para gastarse en ropa. En cualquier caso, es más elegante que quien derrocha su dinero a tontas y a locas sin combinar las prendas que compra.

Nunca ha habido una mujer que careciera de elegancia por un exceso de sencillez, sino por una acumulación de detalles o conjuntos mal combinados o inadecuados a la hora del día y a la ocasión.

PROSPERIDAD

En cierta ocasión, una clienta encantadora me hizo un comentario mientras admiraba dos anillos que llevo siempre, uno desde que me prometí y el otro desde que perdí a mi madre. Sin duda imaginando que una mujer se ve reducida a trabajar en un salón de costura solo tras graves reveses de la fortuna, me dijo: «Querida, ¡qué buen tino tuvo usted al conservar al menos sus joyas!».

En aquel momento, la observación me pareció muy graciosa, pero era igualmente muy pertinente, pues hay demasiadas mujeres que no saben aprovechar una época de esplendor financiero para adquirir sus posesiones más importantes. A largo plazo, unas cuantas piezas de buena joyería, bolsos de primera calidad, una polvera de oro o un bonito paraguas tal vez hagan más servicio que seis vestidos de última moda firmados por un diseñador de lujo. Vale la pena recordarlo. Las acciones no siempre suben y a veces puede ser necesario pasar varios años con lo que ya se tiene, sin parecer por ello menos elegante.

REALEZA

Siempre exhibiéndose, pero con menos libertad que las estrellas de cine, los miembros de la realeza se ven obligados a guardar unas normas de elegancia bastante impersonales.

La familia real británica es ciertamente la más destacada y la que más llama la atención. La reina Isabel, sin llegar tan lejos en cuanto a la rigidez ceremoniosa de su abuela la reina María, sigue siendo muy conservadora y regia en su modo de vestir, e imitarla sería desastroso para cualquier otra mujer. Sus recargados sombreros, sus zapatos abiertos (a menudo blancos), enseñando los dedos de los pies y sus estolas y capas de piel son los puntos débiles de su guardarropa. Hay que reconocer también que va demasiado encorsetada y que esas bandas anchas que se ve obligada a llevar a modo de condecoraciones no contribuyen en nada a mejorar sus vestidos de noche, que ya suelen estar demasiado recargados de bordados. Por otra parte, sus joyas son maravillosas, su peinado es natural y favorecedor y posee ese cutis inglés impecable. El día que estuvo más elegante fue en su visita al Papa, vestida de negro como dicta el protocolo, que le impide, en cambio, ir de negro en ninguna otra ocasión, salvo en los funerales. En suma, estas son solo críticas menores, porque debe de ser muy difícil, si no imposible, ser la reina de Inglaterra y al mismo tiempo una mujer elegante.

En cualquier caso, la reina es mucho más elegante que su hermana, la princesa Margarita, que intentaba ser chic a toda costa y como resultado, no era regia ni elegante, sino demasiado llamativa.

La duquesa de Kent siempre tiene un aspecto perfecto, y así ha sido durante años. Con el tiempo, las mujeres británicas se han ido interesando cada vez más por la moda y, sobre todo, son menos insulares en sus gustos; de hecho, cuando una mujer británica decide estar bonita, siempre es la más hermosa del mundo.

La más popular y admirada de esas damas de alcurnia no era exactamente una reina, sino tal vez más, pues añadió una gran personalidad a sus funciones oficiales. Era, por supuesto, Jacqueline Kennedy, a quien el *Women's Wear Daily* se refería como «Su Elegancia». Que yo sepa, nunca la sorprendieron en ninguna falta de elegancia; siempre parecía juvenil e informalmente vestida, con un estilo adaptado a la vida moderna, a su posición oficial y a su personalidad.

Si todas las mujeres se vistieran tan bien como ella, no tendría sentido escribir este libro. Además, ejerció una influencia beneficiosa en la moda estadounidense, y aunque no siempre compraba su ropa en París, a menudo se inspiraba en la *haute couture*. En su visita oficial a París en 1961, los franceses estaban tan encantados con ella que, en un momento dado, el presidente fue presentado como «el marido de Jackie».

REBAJAS

Los días de rebajas en los salones de alta costura de París son una ocasión única para contemplar un espectáculo cómico. Matronas rollizas que intentan desesperadamente embutirse en vestidos que se hicieron para mujeres delgadas, bajo la mirada agonizante de la encargada de ventas, que se estremece mientras cree oír los desgarros de las costuras y los gemidos dolientes de las torturadas cremalleras. Clientas vagando en sostén y bragas sin sentirse en lo más mínimo incómodas. Y lo más aterrador de todo: las inveteradas buscadoras de gangas, que navegan por los salones de Dior y Givenchy como si estuvieran en el rastrillo y, con el ceño fruncido, rebuscan resueltamente entre las prendas expuestas buscando una auténtica perla.

Es bastante posible encontrar una «perla» en las rebajas, si se sabe buscar. Si no se tienen ideas preconcebidas y se está dispuesta a comprar un abrigo de invierno en junio o un vestido de lino en enero, si se considera que es algo extra que añadir al guardarropa y, por último, aunque no menos importante, si se tiene la figura de una modelo. Los abrigos son lo más fácil de adaptar a cualquier talla, pero también son lo primero que desaparece.

Con todo, yo no aconsejaría a una novata que se aventurase en los salones de alta costura, pues si tiene la mala suerte de caer en las manos de una vendedora sin escrúpulos (lo cual ocurre con menor frecuencia, por supuesto, en una firma prestigiosa que en otra clase de establecimientos), se arriesga a llevarse a casa una prenda que nunca osará ponerse en cuanto se la haya probado frente a su propio espejo, lejos del embriagador ambiente del salón.

La ropa que se rebaja en estos salones no solo incluye los modelos que han llevado las maniquíes durante las presentaciones diarias de la colección de temporada, sino también los que han devuelto clientas insatisfechas y veleidosas, a veces algún resto de colecciones anteriores y, en ocasiones, un vestido o abrigo sin acabar que por una u otra razón nunca llegó a completarse. Justo es añadir que las prendas más útiles suelen reservarse para las clientas habituales a principio de temporada, de modo que lo que queda al final en general ha sido rechazado por su tamaño, su color difícil o su estilo exagerado.

Las rebajas de los grandes almacenes son aún más arriesgadas; incluso así, las gangas más fantásticas son a veces posibles. En primer lugar, la ropa suele estar deslucida y sucia. Si no lo está, es probablemente porque el comprador ha adquirido un lote de piezas sueltas especial para rebajar. Algunos fabricantes se especializan en género para rebajas y sus productos rara vez valen más que la conocida «mitad de precio» que piden por ellos en las rebajas.

Pero no espero que estos hechos aleccionadores disuadan a ninguna mujer de probar fortuna, ya que la búsqueda de gangas responde a un instinto femenino innato. Las rebajas pueden aportar incluso cierta satisfacción, siempre que nos armemos de valor y de voluntad para resistir la tentación de algún conjunto encantador que en realidad es muy caro, sobre todo cuando se comprende que, aunque no ha costado «nada», tampoco va a servir de mucho.

RELOJES

Es muy difícil encontrar un reloj de pulsera elegante de verdad, ni siquiera en las colecciones de los joyeros más famosos. O hay que conformarse con un simple y masculino reloj de oro cuadrado y preferiblemente montado sobre una correa de cuero negro, que queda bien con conjuntos deportivos y cuya forma plana es la clave de su chic, o hay que lanzarse a la costosa adquisición de una joya en forma de pulsera que esconde un reloj bajo un sencillo motivo decorativo. Aparte de la dificultad de que ocultan la hora con discreción, esos diseños raras veces resultan refinados.

En cualquier caso, el diminuto reloj de brillantes que estuvo de moda antes de la guerra, ha quedado completamente anticuado.

A menos que se tenga la suerte de poseer un antiguo broche o alfiler en forma de flor o de pájaro que lleve en su núcleo un reloj diminuto, como las obras maestras de Fabergé, es mejor resistir a las versiones modernas de esos elegantes estilos, pues son mucho menos hermosos en el diseño y el trabajo de orfebrería que los originales. El hecho es que un reloj es, por encima de todo, un objeto utilitario, y puede quedar más o menos camuflado, pero solo hasta cierto punto.

La última vez que recorrí las tiendas en pos de un reloj de pulsera que fuese atractivo y fuera de lo común, acabé por diseñármelo yo misma. Y como todavía me gusta y lo sigo llevando, supongo que puede considerarse un éxito. Es de oro y por tanto, solo lo llevo durante el día o a cenas muy informales, y en ese caso puedo darle la vuelta para ocultar la cara del reloj, y entonces parece simplemente un brazalete de oro.

Un último consejo: dado que un reloj es un complemento diurno sobre todo práctico, no tiene sentido comprarse uno muy elegante y caro.

RESTAURANTES

En la mayoría de las ciudades, hay dos categorías distintas de restaurantes: aquellos a los que se va para lucirse y otros a los que se va para disfrutar de una maravillosa comida. No cabe hablar aquí de los restaurantes a los que se va solo para alimentarse, en general a mediodía, y donde la sencillez es obligatoria. Pero en todos los demás casos, una mujer que desee ser considerada elegante debería cambiarse de ropa antes de salir a cenar.

Por supuesto, no se vestirá igual para cenar en un lugar elegante que para cenar en un bistrot de un barrio modesto. En el primer tipo de restaurante, donde espera que la vean, puede llevar su atuendo más suntuoso, comer caviar y beber champán sin el mínimo riesgo de parecer vulgar, porque el escenario se ha diseñado precisamente para ese lujo. Pero en el otro tipo, donde solo va por la diversión de probar un plato nuevo y extraordinario o unas albóndigas o unos espaguetis excepcionales, es preferible vestirse de un modo menos elaborado y tomar vino tinto corriente.

Entre estos dos extremos, hay una amplia gama de restaurantes. Desde el bistrot de moda del momento, donde la comida suele ser mediocre, y donde lo que hay que llevar es un sofisticado conjunto como un vestido tubo de crepé negro muy chic a la última moda y comprado en una tienda elegante, hasta el famoso restaurante con solera conocido por su comida, en el que los clientes son comensales campechanos, gordos, provincianos, adinerados, relajados... y no muy elegantes. A esa clase de local se puede llevar lo más banal y lujoso. Ambas cualidades son excelentes pasaportes para esa clase de establecimientos.

En otras palabras, es indispensable saber dónde nos llevarán a cenar antes de vestirse por la noche.

RIQUEZA

En este tiempo en que la prosperidad económica de muchos países nunca había sido tan espectacular como ahora, se considera de mal gusto dar la impresión de ser rico. Incluso las palabras «rico» y «opulento» han adquirido un sentido más bien peyorativo, tanto si se aplican a la decoración de un salón como al estilo de una mujer. Se los relaciona con lo «ostentoso», y se han convertido en sinónimos de «vulgar» y «poco elegante».

La auténtica opulencia, como el verdadero lujo, deberían ser prácticamente imperceptibles, excepto para los ojos de varios iniciados, capaces de reconocer a simple vista que un sencillo chaquetón azul marino es un Balenciaga original que probablemente cuesta tanto como un abrigo de piel.

RODILLAS

El proverbio francés *Pour vivre heureux, vivons cachés* («Para vivir felices, vivamos a escondidas») ¡fue inventado pensando en ellas!

SEXO

En el mundo en que vivimos, la ciencia ficción se ha convertido en realidad. Las máquinas pueden hacer casi todo lo que hacemos nosotros, nos alimentamos de manera cada vez más sintética y poco a poco nos estamos robotizando. Pero hay algo que se ha mantenido invulnerable a los ataques del progreso científico, una actividad practicada con los mismos rituales durante siglos, y es la conquista recíproca de hombres y mujeres. Ya desde tiempos bíblicos, o durante épocas menos civilizadas como la Edad Media, los hombres buscaban el amor de una mujer y las mujeres se rendían encantadas a él.

Antes de 1914, la educación de las jovencitas estaba orientada exclusivamente a enseñarles cómo conseguir y retener a un hombre. En primer lugar, las gracias sociales: bailar y seguir la etiqueta y, más tarde, cuando un joven se había dejado atrapar en la telaraña tejida con paciencia por la madre, llegaban la instrucción en la cocina y el cuidado de la casa, para retener los derechos exclusivos del afecto del hombre, así como su renta.

La evolución social de las últimas décadas ha emancipado a las mujeres y les ha dado acceso a carreras en las que compiten con los hombres en los mismos terrenos y con los mismos salarios. Pero ni siquiera esta innovación radical ha disminuido la eterna atracción de los sexos. La mujer moderna puede ganarse el pan, pero su objetivo número uno sigue siendo encontrar un hombre.

Para ello, casi cada objeto de su vida es un arma en potencia, como proclaman todos los anuncios en vallas publicitarias, periódicos, revistas, emisoras de radio y televisión, a todas horas del día y de la noche. Productos relacionados con la belleza, como un champú, pasta de dientes, cosméticos y perfumes, se nos presentan como aliados indispensables en cualquier conquista y como si no comprarlos fuera equivalente a retirarse a un convento.

Inconscientemente o no, hombres y mujeres se permiten toda clase de artificios para atraerse y la verdad es que las mujeres casi siempre son menos discretas que los hombres. De hecho, a menudo rompen por completo su elegancia al intentar explotar sus atributos naturales.

Los estilos denominados «sexy» nunca son realmente elegantes, solo quedan bien a las vampiresas de las películas o cómics de serie negra. Además, los responsables de esas exageraciones no son los diseñadores de moda, aficionados a las maniquíes más delgadas y sin pecho, ni la industria de la moda, que tiene todos los problemas del mundo para vestir a un pecho generoso en el cuerpo de un vestido recién llegado de París sin la más mínima pinza delante. Los promotores del pecho exuberante son los fabricantes de sujetadores, que construyen y refuerzan sus creaciones tan sólidamente como si fueran rascacielos. El resultado es que esos rasgos anatómicos que deberían ser suaves y naturalmente mullidos, se han transformado en una auténtica armadura. La adoración colectiva por el busto enorme y la publicidad que se da a las medidas de algunas famosas es un fenómeno que tal vez deberían estudiar los psiquiatras o el jurado de una feria de ganado, pero ciertamente no tiene nada que ver con la moda o la elegancia.

Por otra parte, no hay que creer que para ser elegante hay que vestirse con austeridad y llevar solo prendas con cuellos cerrados redondos y faldas amplias nada reveladoras, como las santas damas del Ejército de Salvación. Los vestidos de noche con escotes muy pronunciados siempre son favorecedores. Y los vestidos que moldean la figura, cuando se limitan a insinuar las formas que cubren en lugar de exponerlas, y además están bien hechos, pueden hacer que todas las cabezas se vuelvan de admiración. Pero cuando no se está segura de la perfección de la propia figura, y sobre todo si las dimensiones son más bien generosas, en lugar de enfatizarlas, vale más disimularlas. No hay nada que perder y mucho que ganar. En cuanto al Wonderbra, está hecho para casos desesperados, y aun así hay que utilizarlo con discreción.

Se ha creado cierta mitología en torno a las preferencias masculinas, con el resultado de que muchas mujeres que se visten deliberadamente para atraer la admiración de los hombres, a menudo solo producen estupefacción. Para distinguir de una vez por todas la realidad de la ficción, veamos a continuación:

Lo que es realmente atractivo para los hombres

— faldas amplias, cintura estrecha, aspecto de piernas largas,

— ropa a la moda, pero no vanguardista; los hombres siguen las tendencias más de lo que usted cree e incluso el *Wall Street Journal* publica reportajes de moda,

— casi cualquier tono de azul, blanco, gris muy claro y oscuro; algunos hombres detestan ver a sus mujeres vestidas de negro, pero a otros les encanta,

— el perfume, pero los hombres modernos aprecian las fragancias más ligeras que sus padres. Mezclas sutiles y sofisticadas y no aromas simples,

— los cuellos de los trajes y abrigos.

Lo que los hombres creen que les atrae (pero solo en las películas)

— faldas estrechas y reveladoras y pechos muy marcados,

— pestañas postizas,

— lencería de mujer fatal,

— fragancias almizcladas y orientales,

— tacones de aguja,

— metros de flecos negros y de volantes de chifón.

En resumen, a los hombres les gusta ser envidiados, pero detestan llamar la atención. Y les disgusta en especial la vulgaridad en las mujeres que aman.

TRABAJO

La mujer que trabaja tiene más problemas de ropa que la que está en casa, ya que tiene que aparecer fresca, limpia, pulcra y bien planchada de la mañana a la noche.

Si trabaja en una oficina, su conjunto ideal será una falda de lana con un jersey de lana fina en invierno y una camisa en verano. Solo una cosa puede destruir el encanto de ese simple conjunto: un sujetador provocativo.

Las mujeres que eligen la carrera periodística o la moda deben hacer un esfuerzo especial para presentar aspecto refinado. Esto puede parecer una observación obvia, pero me gustaría que vieran qué pocas mujeres bien vestidas hay en la zona de prensa de un desfile de moda. A veces me deja perpleja... Sobre todo, si se tiene en cuenta que esas son las mujeres que pueden crear y destruir la reputación de un diseñador con sus artículos en periódicos y revistas.

El conjunto básico ideal para una profesional es un traje de lana o un abrigo con falda a juego, con un jersey que combine o una blusa en un tono sutil. Si a alguien no le gustan los jerséis (¿pero a quién no le gustan?), un conjunto de dos piezas es preferible a un vestido, que suele parecer demasiado de vestir en una oficina, requiere un excelente diseño, debe quedar perfecto y permite una menor libertad de movimientos.

En general, una mujer que trabaja debería evitar adornos recargados, tejidos estampados, colores agresivos, lanas enmarañadas, telas muy ligeras que se arrugarán con facilidad, faldas demasiado cortas, amplias o estrechas en exceso; en resumen, todo lo que pueda parecer extremado o vulgar.

Durante las horas de trabajo, más que en ningún otro momento, es de buen gusto adoptar una política de comedimiento y moderación (véase la sección «Adaptabilidad»).

TRAJES

Un buen traje es la base del guardarropa de toda mujer. Es el atuendo ideal para llevar todo el día en cualquier temporada. Por tanto, se aconseja no escatimar a la hora de comprar un traje nuevo, ya que deberá servir para varios años.

Un traje clásico es la prenda que más encargan en los salones de costura de París las clientas que suelen preferir comprar la ropa en tiendas menos caras, pero que desean que sus trajes sean impecables. Como resultado, siempre hay atascos de tráfico en las salas de confección a medida y las mujeres tienen que esperar seis semanas o más para obtener su cita y probarse con su sastre favorito.

Ya sea de tweed, lino o lana, los únicos requisitos de un buen traje son un corte excelente, un tejido que tenga cuerpo y una entretela rígida en la chaqueta. El punto más delicado es el montaje de la manga, que debe ser absolutamente lisa alrededor de la sisa, sin el más leve indicio de un frunce o un efecto de manga abullonada. Si se observa que la manga de un traje hecho a medida se arruga y tuerce, sin la menor duda hay que insistir para que lo arreglen. Siempre es menos grave que una manga sea algo corta pero es importante que no encaje mal en la sisa. Si la axila se ha cortado con demasiada profundidad, lo que restringe la libertad de movimientos, el problema es mucho más grave; el único remedio es cambiar todo el delantero del traje y eso me temo que requerirá mucha insistencia.

La longitud de la chaqueta, el diseño de la falda y el escote, junto con detalles como los botones y cinturones son cuestión de moda y, por tanto, están sujetos al cambio. Con todo, si alguien se toma la molestia de elegir un modelo que se encuentre dentro de la tendencia general de la moda más que en una ola pasajera, un traje bien hecho se puede llevar durante cinco o seis años, a veces más, sobre todo los modelos de Balenciaga, que se adelantan a la moda y al mismo tiempo son independientes con respecto a ella.

Sea cual fuere la moda actual, las chaquetas largas son más favorecedoras para las figuras con un trasero prominente, mientras que los cuellos armados y las solapas dan una impresión de esbeltez a los pechos demasiado gruesos. Por otra parte, las mujeres de pecho plano suelen quedar más elegantes con chaquetas tipo cárdigan, con botones y sin cuello, sobre todo las más cortas, que son muy juveniles.

Si bien un traje es una prenda informal, no hay límites para determinar hasta qué punto puede llegar a ser «de vestir». Si es de seda bordada puede incluso llevarse con una falda larga y formar un conjunto de noche muy formal. Sin embargo, un traje de lana nunca debería acompañarse con zapatos muy de vestir como los de salón de satén. Un sencillo sombrero de paja o de fieltro en verano y de terciopelo o lana en invierno, adornado con una simple flor puede ser muy chic. Con un sombrero así, pueden añadir unos guantes claros de cabritilla satinada, una blusa de seda clara (tal vez del mismo color que la flor del sombrero), un bonito broche, pendientes sencillos y un collar de perlas. Y esto es lo máximo que se puede hacer para que un traje básico vista más. Una mujer elegante no se viste exclusivamente con trajes. Con todo, es una de sus prendas más fiables y, cuando tiene pocas prendas en su guardarropa, es un conjunto maravilloso y con múltiple utilidad.

UNIFORMIDAD

Gracias al elevado nivel de vida de occidente y a la perfección de la moda occidental producida en serie, un observador no especializado podría pensar que todas las mujeres visten exactamente igual.

No conozco el origen de esta forma moderna de la modestia, que ha barrido la población femenina desde San Francisco a París y que hace que aparentemente todas las mujeres quieran parecerse, aunque al mismo tiempo gasten más que nunca en ropa, cosméticos y peluquería. Pero estoy segura de una cosa: este movimiento de masas hacia la conformidad obligará tarde o temprano a las marcas de alta costura a dedicarse a la venta al por mayor, sobre todo teniendo en cuenta el elevado coste de la ropa hecha a medida.

Debo confesar que no tengo valor para oponerme a ese famoso vestidito negro que es el uniforme de todas nuestras cenas sociales. Además, me doy cuenta de que puede ser muy práctico. Pero debería considerarse una de las piezas básicas útiles de un guardarropa mínimo, que debe completarse con otros conjuntos de vestir menos estereotipados, según los medios de cada persona. Y en cualquier caso, una mujer elegante siempre intenta mitigar esa banalidad escogiendo un diseño particularmente refinado o poniéndose una joya de un modo original.

Pero si usted disfruta vistiéndose exactamente como todo el mundo, entonces tiene un espléndido futuro. La uniformidad es la consecuencia natural de una sociedad automatizada y —¿quién sabe?— tal vez un día la individualidad se considerará un delito.

Mientras tanto, siempre queda la opción de enrolarse en el ejército.

VELOS

Un tanto pasados de moda en este momento (no entiendo por qué), los velos son uno de los adornos femeninos más favorecedores. Tal vez la razón de su desprestigio actual es que se generalizaron mucho como sustituto de los sombreros, que eran una moda fácil de llevar, barata, favorecedora y práctica.

Un velo siempre es un complemento de vestir y, excepto en el caso de señoras mayores que velan su rostro día y noche con gran distinción, no es correcto llevar un velo antes de las cinco de la tarde. El espesor de la malla se debería elegir en función de su particular personalidad: una mujer fatal puede subrayar su misterio seductor con un velo bastante tupido y grueso, mientras que la ingenua femenina debe reforzar su encanto con un fino y brumoso tul. En cuanto al color, no hay restricciones, pero el negro es casi siempre el más chic.

Esperemos que los diseñadores revivan la moda de los velos que cubren todo el rostro y no solo los ojos. Un gran velo aporta un bonito aire de misterio y distinción a los rasgos más ordinarios, de modo que hasta la más sencilla ama de casa da la impresión de dirigirse a una cita romántica.

VESTIDOS

Por la mañana, muchas mujeres elegantes llevan trajes y el vestido de tarde ha desaparecido de nuestros guardarropas, sustituido por el conjunto de dos piezas, más juvenil y menos ceremonioso, o incluso por un jersey y una falda.

Pero a partir de las seis de la tarde, el vestido vuelve a entrar en escena en forma de atuendo de cóctel o de cena. Ese es el momento del triunfo de la famosa *petite robe noire* o vestidito negro, más o menos escotado, hecho de paño de pura lana o crepé de seda y cuyo chic reside en el corte y la línea. Más tarde, es preferible dejar el negro en favor de un color más vivo y un tejido más sofisticado, incluso un bordado con o sin pedrería. Y finalmente, para las ocasiones formales, el traje de noche largo puede ser tan espléndido como se desee. Se debería experimentar una transformación mágica en el momento de ponérselo; debería hacer que la mujer se sintiera como una princesa. La mujer más sencilla siempre está más guapa con un vestido largo de noche. En realidad, la noche es el único momento del día en que una mujer tiene el derecho e incluso el deber de atraer la atención. Por eso, un traje de noche largo, negro, que tiene fama de ser tan práctico, no es una opción inteligente.

El guardarropa de vestir de una mujer elegante no es necesariamente muy extenso. Puede consistir, por ejemplo, en:

Para llevar casi todo el año

1 vestido de punto blanco (para la comida, la tarde y las veladas informales),

1 vestido negro de crepé (sencillo pero muy chic, para cócteles, cenas y teatro),

1 vestido de cena de color vivo, largo o corto, de un punto suntuoso o de algún tipo de seda.

Además, en invierno

1 vestido de punto de color neutro elegido para formar un conjunto elegante con el abrigo de invierno.

En primavera

1 vestido de seda que combine con el abrigo de primavera,

1 bonito vestido de noche, corto o largo, de un tejido ligero, blanco o de un color claro (amarillo limón, turquesa, coral, azul cielo).

Y en verano

Tantos vestidos de algodón y lino lavables como puedan requerir las actividades particulares de cada mujer.

VIAJES

Si una mujer tiene en cuenta que cuando está lejos de casa y rodeada de extranjeros se la juzga exclusivamente por su aspecto externo, tal vez se dará cuenta de la importancia de ir impecablemente vestida cuando viaja y no dar la impresión de que va de camino a una boda debido a un sombrero con velo y a una estola de pieles, ni tampoco, en el extremo opuesto, hacia la conquista del Anapurna con una mochila a la espalda. Con la excusa de que el viaje lleva muchas veces a un hotel de veraneo, hay una lamentable tendencia a vestirse de antemano para el primer baño de sol. Podemos perdonarles ese descuido a los campistas, ya que solo pueden llevar a la espalda un número limitado de kilos. Pero cuando ya no se es una *girl scout*, se debe adoptar otra actitud para viajar.

En el tren, avión o coche, si usted viaja de una ciudad a otra, debe llevar un atuendo urbano. Con este conjunto básico se necesitará llevar muy pocas cosas en la maleta, si se han elegido con cuidado los complementos: en invierno, los zapatos de salón negros, bolso negro y abrigo serán adecuados para todas las salidas nocturnas y todos los medios de locomoción que se utilicen. En verano, el bolso y los zapatos deben ser beige; un abrigo ligero y una estola de vestir de un tono neutro combinarán atractivamente con los dos o tres vestidos del equipaje.

Durante tres temporadas de cada cuatro, el traje es el puntal del guardarropa. Puede reforzarse su abrigo con una blusa o jersey encima, o puede llevarse solo cuando el clima es más suave. Es el viajero ideal; ya sea de lana, lino o algodón, no hay nada más práctico.

Si viaja en coche, puede ir un poco más informal. Un abrigo y una falda haciendo juego forman el atuendo ideal. En verano hay que añadir un vestido ligero de un tono que vaya bien con el abrigo, una blusa y un jersey. Con esos elementos básicos se puede recorrer una extensión considerable de kilómetros correctamente ataviada.

Si se viaja de una ciudad a un hotel de vacaciones, el traje sigue siendo el conjunto ideal para viajar. Se puede llevar en invierno con un abrigo y botas calientes; en verano, con una blusa o jersey ligero, y el indispensable abrigo de tejido fino en el brazo.

Si se tiene la suerte de embarcarse en un largo crucero, existen una serie de reglas establecidas que se deben respetar: llegada a bordo con un conjunto informal; no vestirse nunca para cenar la primera y la última noche en el mar, pero exhibirse con la mejor ropa todas las demás noches; relajarse con ropa deportiva por la mañana; ir a comer con un atuendo un poco menos informal. Todo ello exige una montaña de equipaje, para alegría de las mujeres que cuentan con medios y tiempo libre ilimitados, que prefieren viajar en barco que en cualquier otro transporte y disfrutar así de una de las últimas celebraciones del lujo que han sobrevivido en nuestra era de cohetes interplanetarios.

Cuando se visita un país por primera vez, es buena idea averiguar antes cuál es allí la manera habitual de vestirse, para no tener que correr a la primera tienda y comprarse un guardarropa nuevo, o enfrentarse estoicamente a la prueba de que la miren como a una extraterrestre.

ZOOLOGÍA

Aparecer en público con un bebé pantera, por ejemplo, un cocodrilo domesticado o un orangután, aunque sea muy inteligente, debería reservarse a las *starlets* necesitadas de publicidad, ya que crea un ambiente circense bastante incompatible con la conducta discreta de una mujer elegante. Sin embargo, la situación cambia mucho cuando el compañero animal es uno de nuestros amigos más fieles, el perro.

Desde la Antigüedad se ha considerado elegante tener un perro y algunas de las mujeres más hermosas de la historia se han tomado grandes molestias para asegurarse de que abandonarían su existencia terrestre acompañadas de su mascota favorita. Aunque se tenga mal aspecto, se vaya mal vestida, se esté cansada o harta de todo y de todos y se tenga la sensación de estar totalmente abandonada, siempre se encontrará en los límpidos ojos del perro una admiración sin límites y una fidelidad incondicional. A veces creo que los perros deben de haber sido creados especialmente para subirnos la moral y darnos una buena opinión de nosotras mismas cuando más necesitamos ánimo.

A cambio de esos dones inestimables, ellos piden a la mujer de ciudad preocupada por su elegancia un mínimo de esfuerzo y organización. Londres es sin duda la ciudad en la que hay mayor número de mujeres con el conocimiento más perfecto de los problemas que plantea la posesión, el cuidado y ejercicio, en una palabra, la feliz cohabitación de una mujer y un perro. Cuando pasean a sus mascotas por Hyde Park o junto a la arboleda de Georgian Square, esas damas británicas siempre llevan zapatos cómodos de tacón bajo y trajes de una vaga mezclilla cromática en la que una afectuosa zarpa llena de barro no dejará una huella indeleble.

Si alguien tiene un perro juguetón, al que le gusta saltar y jugar, puede excluir de su guardarropa el blanco o los tonos pastel, así como las faldas. Si el perro pertenece a una raza de pelo largo, hay que abstenerse de ciertos tejidos sintéticos que atraen su pelaje como un imán. También habría que evitar todos los tejidos de trama muy suelta, que ofrecen incontables pequeñas trampas para la zarpa de un cachorro.

Hay ciertos perritos falderos como el papillon, el yorkshire terrier, el chihuahua y el pekinés, además del schnauzer miniatura, que no plantean problemas en absoluto, ya que generalmente pasan del coche de sus propietarios al cálido salón de la casa, a menudo sin poner ni una pezuña en el suelo.

Por desgracia, hay que reconocer que también hay modas para los perros y que una raza que hacía furor durante una serie de años —como el airedale o los fox terrier de pelo duro y de pelo liso—, desaparece misteriosamente un día simplemente porque ha dejado de estar en boga, como un viejo sombrero. Hay incluso ciertas razas, que en Europa se llaman desdeñosamente *chiens de concierge* (perros de portero), en cuya compañía no debería ser vista una mujer elegante, como el pomeranian y el fox terrier, que, sin embargo, son los más inteligentes de todos. Al mismo tiempo, ningún tipo de poodle miniatura, más o menos blanqueado, o ningún dachshund con el pelo largo, corto o duro tiene derecho a desgarrar los almohadones de las casas más aristocráticas de París. Hay incluso ciertas razas que solo aprecian las familias reales, como el welsh corgis de la reina de Inglaterra, los perros pug de los Windsor y los bulldogs ingleses que ahora solo se ven en algunos palacios ducales.

Sea cual fuere la raza —e incluso si es un espécimen único de origen desconocido—, el perro merece ir tan pulcro como su dueña. Unos pocos minutos al día dedicados al cepillado y peinado, inspección de orejas y patatas y limpieza de los ojos pueden hacer maravillas en su apariencia y autoestima. Hay que recordar pedir al veterinario que le lave los dientes y le recorte las uñas de vez en cuando. Y cuando sea necesario, hay que hacerle bañarse aunque aúlle de rabia. Las razas como el poodle y el fox terrier de pelo duro deberían pelarse con regularidad y es el especialista quien hará mejor ese trabajo, a menos que la dueña sea muy experta, porque los cortes de pelo caninos deben seguir los estándares de la competición canina, sobre todo cuando se quiere que el perro sea admirado y puedan seleccionarle para las exposiciones.

En muchas ciudades hay modistos caninos, pero en este ámbito como en otros muchos, habría que evitar la excentricidad.

Los collares con incrustaciones de estrás, por ejemplo, son bastante vulgares. Es preferible elegir un collar y una correa de un color que favorezca al pelaje de su perro, o incluso negro liso, y limitar su ornamentación a tachuelas doradas, como máximo. Y para el invierno, un abrigo a juego.

Agradecimientos

Para concluir, me gustaría expresar mi gratitud a todos aquellos que me han ayudado en la elaboración de este libro con sus consejos o sus ejemplos personales de elegancia: madame Hervé Alphand, madame Hélène Arpels, Mrs. David Bruce, Mr. John Fairchild, la condesa de Gramont, Wladimir de Kousmine, Mrs. Raymond Loewy, madame de Miraval, la vizcondesa de Ribes, Mr. Robert Ricci, la condesa de Roquemaurel, Mr. Percival Savage, madame Nicole de Vesian. Y especialmente a madame Georges Lillaz, cuya elegancia de corazón solo es comparable a la elegancia de su apariencia.

GENEVIEVE ANTOINE DARIAUX

Índice

C

D

E

L

M

N

O

P